COMÉDIE

DU MÊME AUTEUR

BANGLA-DESH : NATIONALISME DANS LA RÉVOLUTION, Maspero, 1973. Réédité au Livre de Poche sous le titre : LES INDES ROUGES, 1985.

LA BARBARIE À VISAGE HUMAIN, Grasset, 1977.

LE TESTAMENT DE DIEU, Grasset, 1979.

L'IDÉOLOGIE FRANÇAISE, Grasset, 1981.

QUESTIONS DE PRINCIPE I, Denoël, 1983.

LE DIABLE EN TÊTE, Grasset, 1984.

IMPRESSIONS D'ASIE, Le Chêne-Grasset, 1985.

QUESTIONS DE PRINCIPE II, Le Livre de Poche, 1986.

ÉLOGE DES INTELLECTUELS, Grasset, 1987.

LES DERNIERS JOURS DE CHARLES BAUDELAIRE, Grasset, 1988.

FRANK STELLA, La Différence, 1989.

CÉSAR, La Différence, 1990.

QUESTIONS DE PRINCIPE III, *La suite dans les idées*, Le Livre de Poche, 1990.

LES AVENTURES DE LA LIBERTÉ, UNE HISTOIRE SUBJECTIVE DES INTELLECTUELS, Grasset, 1991.

PIERO DELLA FRANCESCA, La Différence, 1992.

PIET MONDRIAN, La Différence, 1992.

QUESTIONS DE PRINCIPE IV, *Idées fixes*, Le Livre de Poche, 1992.

LE JUGEMENT DERNIER, Grasset, 1992.

LES HOMMES ET LES FEMMES *(avec Françoise Giroud)*, Orban, 1993.

LA PURETÉ DANGEREUSE, Grasset, 1994.

QUESTIONS DE PRINCIPE V, *Bloc-notes*, Le Livre de Poche, 1995.

LE LYS ET LA CENDRE, Grasset, 1995.

BERNARD-HENRI LÉVY

COMÉDIE

BERNARD GRASSET
PARIS

1

Libre ? Loin de Paris. Affranchi de leur regard. Je les connais si bien. La comédie. La perfidie. Ces gens qui vous serrent la main comme s'ils vous prenaient le pouls. Comment ça va ? Ça va. Mais ils n'en croient rien. Ils savent. Vérité du préjugé. Science exacte de la rumeur. Paris ville lumière. Pas de secrets possibles à Paris. Alors, Tanger. Retour et repli sur Tanger. Ma petite maison, en haut de la ville, sur la route de Larache. Le vieux cimetière. Ses moutons. Le marchand d'épices qui me salue de la tête chaque matin. Mes nouveaux voisins, d'abord méfiants, puis dédaigneux et, maintenant, familiers. Que peuvent-ils bien penser ? Un Français bizarre, qui a préféré s'installer là plutôt qu'à la Vieille Montagne ou au Marshan. Quelques livres.

Peu de journaux. Pas de téléphone. Et puis la paix. Une drôle de paix. Malgré l'insomnie, et ce sale goût dans la bouche, et cette lanterne qui, sans cesse, projette les mêmes images dans ma tête.

Deux Anglaises au bout de la rue. Comment savoir qu'elles sont anglaises ? Une façon de bouger. De se tenir. Leur façon de courir après ces gamins qui jouent avec un chat comme avec une poupée de chiffon. Ils sont très sales. Très misérables. Ce sont des gamins du quartier, couverts de poussière, en haillons, qui ont juste trouvé plus sale, plus misérable qu'eux. Le premier le passe au second. Le second au troisième qui est en train de lécher une glace, le rate, le laisse s'écraser à ses pieds, éclate de rire. Le chat doit être mal. Il ne remue plus. Ce n'est plus qu'une tache sombre, avec des traînées rouges et blanches – de la glace, mêlée à des filets de sang. Mais voici que s'avance un quatrième enfant, plus grand, qui se déplace avec des béquilles et, du bout de l'une, tâte la petite masse : elle bouge un peu, elle frémit, alors il s'en empare et la renvoie vers l'enfant à la glace qui la rattrape, mais de justesse. Il doit y avoir, oui, des manières de courir, bouger, rire ou pleurer, selon qu'on est française, anglaise ou marocaine.

Je les entends, maintenant. « Stop it ! » dit la première – blonde, belle, genre

« années cinquante à Tanger », avec un panier en paille et un grand chapeau de toile assorti qui a dû se mettre de travers quand elle a couru jusqu'aux enfants. « Stop it ! Vous allez le tuer ! » Et aux passants : « au secours ! pauvre bête ! c'est une créature de Dieu ! au secours ! » Mais les passants s'en fichent. Les deux militaires, en faction devant la Fiduciaire Al Waham, rigolent doucement. Et quant aux gamins, ça les excite de voir ces deux belles filles, une blonde et une rousse, qui vont de l'un à l'autre, hurlent, trébuchent, les menacent, mais les trouvent sûrement trop sales pour aller jusqu'à les toucher – bondir, oui ; piailler « c'est une créature de Dieu », d'accord ; mais aller, en les touchant, risquer une maladie, non merci ; alors ils s'en donnent à cœur joie, les intouchables ; ils se passent le chat de plus en plus vite ; c'est un manège ; une ronde ; et voici le croûteux aux béquilles qui lui fourre un doigt dans le museau histoire de vérifier s'il miaule encore, puis le prend par la queue et le fait tourner comme un avion. « Non ! crie la rousse en ouvrant grand les bras comme si elle allait aussi s'envoler. Non ! » Et l'autre, fouillant dans son porte-monnaie, y faisant tinter quelques piécettes, puis prenant même un billet : « non, for God sake, non. » Mais c'est trop tard. L'avion s'est écrasé sur le mur. Il ne bouge plus. Les gamins non plus. Ils adressent des gestes obscènes aux filles, mais les laissent à présent s'approcher.

« Oh ! my god ! My god ! » La blonde, surtout, semble bouleversée. Elle a refermé son porte-monnaie. Accroupie comme ça, les fesses sur les talons, le chemisier à demi défait, elle paraît encore plus belle ; je devine son ventre rond, sa culotte de dentelle blanche, la façon qu'elle doit avoir de se refuser, ou d'acquiescer, ou peut-être les deux à la fois ; je devine ses audaces, ses pudeurs, son odeur de femme fraîchement baisée ; j'ai toujours aimé ce moment où je ne sais pas encore – imagination et crainte, spéculation délicieuse, énigme du nouveau corps replié sur ses secrets. Vais-je tenter ma chance ? M'approcher ? Chasser les gamins ? Compatir ? Trop tard. Elle s'est remise debout. Elle a le petit chat serré contre sa poitrine et ça me dégoûte un peu. « Il respire, crie-elle ! Il respire ! Let's take it home, poor little thing ! » Et elle se met à courir, sa complice à ses côtés, la chose noire accrochée à son corsage, sans plus prêter attention aux quatre gamins sidérés.

Il faudrait courir aussi. Il faudrait les rattraper et, soit proposer mon aide, soit dire : « est-ce que vous n'avez pas honte, dans une ville où il y a tant de misère, de faire ce cirque pour un chat ? » Mais non. Trop godiches. Trop ridicules avec leurs pantalons de soie bouffants, leurs escarpins trop hauts qui se prennent dans les pavés, leurs chapeaux, leurs petits cris. Et puis, de toute façon, il est sept heures. Encore une heure avant d'arriver au Continental – et ça règle la question. Car supposons que je sois en retard. Je vois d'ici la scène. Le vieux maître est là. Il est debout, face à la mer, avec sa crinière blanchie, son cartable d'autrefois serré entre les jambes, ses yeux mobiles et noirs qui cherchent et ne me voient pas. On l'observe. Un gamin, qui s'est faufilé jusqu'à la terrasse, le harcèle – « petit guide, Monsieur ! petit guide ! » Et, retardé par deux femmes à chat à qui j'ai fait la leçon pour, à l'arrivée, ne même pas avoir, forcément, envie d'elles, je ne suis pas au rendez-vous. La scène peut être drôle. Mais elle n'est pas jouable. Et meilleur moyen, surtout, d'en reprendre pour trente ans : eh oui ! trente ans d'une nouvelle guerre – non seulement avec lui, le vieux maître, mais, de proche en proche, avec les autres, la secte, la maison de la culture, Paris, le parti adverse ; d'avance, les bras m'en tombent ; rien que d'y penser, j'en ai la nausée.

Tiens... Ils ont changé le muezzin, on dirait. Qu'est-ce qui a pu arriver à l'autre ? Malade... Enrhumé... Mort – qui sait ? Celui-ci semble plus jeune. Plus frais. Un peu intimidé au début, c'est normal. Crachotements dans le micro. Toussotements de débutant. Mais là, ça y est, c'est parti. Allah akbar ! Allah akbar ! Il ne chante pas, il claironne. Il ne gronde pas, il tonne. Jamais vu un muezzin en faire autant. Et virtuose avec ça ! Cette façon de timbrer la voix, monter, s'époumoner, s'arrêter, recommencer très bas, reprendre son élan, gémir, rugir, s'arrêter encore, chuchoter : on la dirait suspendue tout à coup, indécise, entre terre et ciel – on dirait qu'il écoute à son tour, qu'il attend on ne sait quel écho, mais non, il est reparti, il a repris son souffle et il est reparti de plus belle, comme s'il voulait écraser la clameur de la ville, faire taire son bourdonnement ininterrompu et impie. J'imagine un imam tout neuf, frais émoulu de l'école coranique, très pieux, qui, le premier trac passé, fait du zèle, cherche à se faire remarquer du bon dieu et des collègues. Et le plus beau c'est que ça marche. Car eux non plus, les collègues, n'ont jamais été si déchaînés. Un peu décontenancés au début, forcément : « qu'est-ce que c'est que ce nouveau qui nous bouscule nos habitudes ? » Mais là, ça y est. Ça se réveille. Ça part dans tous les sens. De tous les coins de la ville, c'est la même imprécation, les mêmes vieilles voix essoufflées, mais terribles. Je ne les entends pas, les autres soirs. C'est la première fois que montent jusqu'ici la voix de l'imam de la Grande Mosquée, ou de celui de la Mendoubia ou, plus loin encore, de celui de Jamaâ Al Kbir. Silence, ville maudite ! Silence, mécréants, âmes endurcies, silence ! Les mécréants, dans la rue, ne paraissent pas plus étonnés que ça. Ces trois jeunes types, grands corps à la traîne, qui remontent le boulevard en se tenant la main... Cet autre, qui rajuste son bonnet et crache – exprès ? Moi, oui, ça m'impressionne : quel concert ! et qui ressemble si peu à Tanger !

Ça me fait drôle de dire « trente ans ». Mais qu'est-ce que j'y peux si c'est il y a trente ans que tout, avec le vieux maître, a commencé ? C'est l'époque où je prépare le concours d'entrée à l'Ecole Normale. C'est celle aussi où – ceci n'étant pas sans lien avec cela – je découvre le vert paradis des amphétamines. Corydrane ! Maxiton ! Admirable captagon ! Amis fidèles et délicieux ! Qui dira ce que nous leur devons ? Qui chantera leurs vertus philosophiques et littéraires ? Sartre, bien sûr. Burroughs. Sollers – s'il acceptait de voir dévoilés nos commerces, nos coups de téléphone nocturnes, le demi-comprimé glissé dans une enveloppe Grasset ou NRF, la course dans la ville, les taxis, l'enveloppe sous le paillasson, les médecins complaisants, les trafics d'ordonnances et de pharmacies. Mais à part eux ? A part nous ? Les gens ont toujours l'air surpris. Ou choqués. Comment ça marche... Ce que ça « fait »... Si c'est normal, pour un écrivain, de ne pas « compter sur ses forces propres »... Mais *ce sont* ses forces propres ! C'est même la seule façon que je connaisse de ne compter *que* sur ses forces propres ! Concentration totale. Mobilisation générale de l'intelligence. Tous les neurones utiles en alerte. Les autres – ceux de la vie quotidienne, de l'attention qui flotte, de l'affairement, du divertissement – provisoirement débranchés, hors service. Et, dans la tête, une clarté, une justesse des idées et des images, une précision physique de la sensation que j'ai bien plus de peine à trouver lorsque je ne prends rien.

J'ai un pharmacien, en ce temps-là, qui me fournit. Il s'appelle Benesti. Il a la plus grosse pharmacie de Neuilly. Et, comme il est aussi gras que sa pharmacie est grosse, nous jouons, avec ma mère, à guetter le progrès de son embonpoint et le moment – tous les trois mois, environ – où il aura tellement enflé que son cou ne tiendra plus dans sa belle blouse blanche au col amidonné : le visage est de plus en plus rouge, le bouton va craquer, il résiste, ça lui fait la bouche toujours un peu ouverte comme un bon chien et puis, un matin, ça va mieux, il est décongestionné, il respire, il a une nouvelle blouse, et on rit évidemment beaucoup. Benesti est donc mon pharmacien. Il me fournit en pilules magiques.

Mais il a un autre mérite, presque plus essentiel, dont je dois bien être le seul, à Neuilly, à mesurer tout le prix : il se trouve être le cousin – et germain, s'il vous plaît – de celui qui n'est pas encore le vieux maître mais qui est déjà, à mes yeux, comme à ceux de tous les khâgneux de France, l'incarnation même de l'Ecole Normale.

« Ah ! Jackie », dit-il, d'un air rêveur, chaque fois que je franchis le seuil de l'officine. Il me prend à part. Nous allons derrière le comptoir, deux comploteurs, jusqu'à la réserve des médicaments du tableau B. « Ah ! Jackie... Jackie... Vous allez travailler avec Jackie ? Vous m'en direz des nouvelles... Ils n'ont jamais compris Jackie, dans la famille... Ils l'ont toujours pris pour un raté... Mais dans sa branche, hein... dans sa branche... » Là, en général, il hésite, reprend son souffle. Il a le choix entre : « dans sa branche, c'est un crack » ; ou : « dans sa branche, c'est un as » ; ou, simplement : « po ! po ! po ! » avec un geste de la main comme s'il venait de se brûler. J'essaie d'en savoir plus. J'essaie de gratter une information, un mot, un secret de famille, une scène. Il m'arrive même d'entrer dans la boutique, de feindre d'avoir perdu ma corydrane, rien que dans l'espoir de lui arracher une anecdote de plus, un détail. Alger... El Biar... Des avenues semblables à celle-ci... Des scènes comme celle du chat... Bagarres de rue... Jouer au foot avec des boules de vieux journaux... Eteindez la loumière, commencez l'zouléma... Jackie avant Jackie... Enfance d'un philosophe en chef et en mauvais garçon... Cette généalogie dont je suis à la fois si proche et si lointain : n'avons-nous pas, chacun, aussi énigmatiques et attirants qu'un possible futur, nos enfances, nos mémoires, notre passé virtuels ? Ce n'est pas un génie, Benesti. Mais, enfin, il a « le contact ». Je ne connais personne qui ait, comme lui, le contact avec ce monde, inaccessible, de la rue d'Ulm ; et, lorsqu'arrive le grand jour...

« Personne », j'exagère... Car il ne faut pas que j'oublie, non plus, Baron... Le colonel de gendarmerie Baron et son rôle, lui aussi, dans ces « années de formation »... Est-ce de Pflimlin ou de Chaban qu'il avait été le directeur de cabinet, avant de s'occuper, chez mon oncle D., des « affaires marocaines » ? Chaban, bien sûr. Forcément Chaban, puisque je le revois, entrant dans le bureau et, sans prendre le temps d'ôter son manteau ni son chapeau : « allô, Matignon ? ici Baron... est-ce que Chaban est là ? bon ! ne le dérangez pas. » Puis, à mi-voix, air de mystère, un coup d'œil à droite et à gauche, pour s'assurer qu'on l'écoute bien : « dites que Baron a appelé –

il comprendra. » Ah, Baron ! J'ai beau connaître, aujourd'hui, son vrai secret. J'ai beau me moquer, déjà à l'époque, de ses mines de faux agent, toujours entre deux missions. Comme Benesti, il a « le contact ». Comme Benesti il est une sorte de pont en direction, lui, de cet autre univers qu'est l'univers de la politique. Et aucun enfant n'est plus fier que moi, quand, le premier jeudi de chaque mois, il m'emmène déjeuner chez Lipp – on nous installe au premier étage que je prends pour l'étage chic et j'aime le voir, avant de monter, serrer des mains, faire l'important, adresser des signes d'intelligence à de vieilles huiles qui n'ont pas toujours l'air de le remettre : « tu vois, mon garçon, discrétion, discrétion, c'est la règle entre anciens, mais on se reconnaît, hein... tu as vu comme on se reconnaît bien. »

Il m'interroge sur mes études. Il porte des costumes croisés marron à grosses rayures comme on en voit sur les photos des gouvernements de la IVe. Il me dit l'importance de l'Histoire. « On néglige toujours l'Histoire, mon garçon. C'est une erreur. Il n'y a rien de plus important que l'Histoire. » Moyennant quoi il me raconte *son* histoire qui est celle d'une certaine France : Chaban ; Félix Gaillard ; les cabinets de la IVe ; « Bourgès » et « Michard » ; Georges Boris ; le roi du Maroc à Madagascar ; la décolonisation ; Mendès dont il avait été proche ; l'avocat Izard ; et puis, avant tout cela, le temps de la République menacée, les Ligues, une photo du 6 février 34 où on le voit, jeune gendarme, charger les manifestants fascistes ; et puis, encore, la Résistance qui est sa grande affaire, ça tombe bien, c'est la mienne, c'est dans cette tradition, ce souvenir, ce culte que je suis élevé : il dit « Français libre » comme personne, avec un magnifique accent du Sud-Ouest qui fait rouler les « r », ronfler le mot – il n'a pas besoin d'en dire plus pour éveiller en moi tout un monde de grandeur, de courage, de légende et de rêve. Jusqu'au jour...

Oh ! ce jour-là ! Qui est l'auteur du livre, déjà ? Une femme, il me semble. Un livre sur les femmes dans la Résistance écrit, il me semble, par Ania Francos. Ce jour-là donc, au détour d'un chapitre, ce récit, à la fois terrible et banal : un groupe de déportées dans une forêt française... la neige... le froid... le convoi qui attend... les malheureuses à peine vêtues... de mauvais souliers aux pieds... on les presse... on les houspille... les cris de terreur et les larmes... il y en a qui se dispersent et qu'il faut rassembler... il y en a qui se serrent, et qu'il faut au contraire séparer... il y en a qui n'en peuvent plus, qui s'effondrent, qu'on force à se relever, à courir... des femmes comme un troupeau... des juives, comme du bétail... et, dans le rôle du cow-boy, tournant autour du pauvre troupeau en donnant de la cravache, un lieutenant de gendarmes à cheval, Français comme il se doit, qui s'appelle... Alfred Baron! *L'Idéologie française* est née. Plus quelques pages du *Diable en tête*. Mais, pour l'heure, le fait est là. J'ai, en ce temps-là, deux « contacts », deux voies d'accès à la « grande vie ». Un ancien colonel de gendarmerie pétainiste qui me raconte le gaullisme et un pharmacien de Neuilly qui me brosse, au fil des mois, le portrait de mon futur maître. Le muezzin, là, en rajoute. J'ai l'impression qu'il en fait trop. Muezzin grisé qui refuserait de lâcher son micro. On dirait un bruit d'avion, un stuka.

Arrive la rentrée. Le maître reçoit en tête à tête, dans ce bureau de la rue d'Ulm dont nous avons tous rêvé, les normaliens nouvellement promus. Il est là. Chair et os. Plus jeune que je ne l'imaginais. Plus aimable aussi. Presque amical. Quoi? Ce philosophe, ce géant, ce déconstructeur sans pitié, cet écrivain mystérieux dont je n'aurais jamais supposé qu'il eût une doctrine sur des questions aussi triviales qu'un « plan de dissertation », un « sujet de mémoire », un « programme de licence » ou d'« agrégation » – est-ce bien lui, ce personnage immense, ce compagnon de route de

Tel Quel, cet artiste, qui, comme cela, simplement, prend le temps de recevoir ses nouveaux élèves et leur parle dans une langue qui est celle de tous les professeurs normaux ? Oui. C'est bien lui. J'en pleurerais, tellement c'est lui. Je reste sans voix, tant je suis ému. « Qui êtes vous ? que faites-vous ? êtes-vous germaniste ? helléniste ? plutôt kantien ou nietzschéen ? dialecticien tendance Hegel ou bien tendance Platon ? avez-vous déjà une idée de diplôme ? une idée tout court ? un concept ? » Je suis si extraordinairement intimide, c'est un tel choc, pour moi, d'être enfin face au maître dont j'ai lu tous les livres et dont les rapports à la chair n'ont pas la réputation d'être tristes (double mérite pour le « philosophe libertin » que, en ce temps-là, je prétends être), je suis si choqué, bouleversé, tétanisé, que, n'entendant plus ses questions, je m'entends, moi, répondre d'une voix blanche et bredouillée : « je m'appelle Lévy ; je suis un ami de Benesti, votre cousin, pharmacien à Neuilly. »

Stupeur du maître. Regard immédiatement courroucé. Il ne dit rien. Il ne relève pas. Mais je vois, dans son œil, l'étendue du dégât. « Qu'est-ce que c'est que ce petit imbécile à qui je pose la question de sa spécialité et qui, au lieu de me parler de Platon ou de Spinoza, des *Ennéades* de Plotin, des cours de Guéroult sur Spinoza ou d'Hyppolite sur Hegel, de Blanchot, de Levinas, d'Artaud, de tous ces écrivains et penseurs " des limites " dont j'ai fait mes objets d'étude et qu'il devrait aimer comme ses prochains ou comme moi-même, me balance à la gueule cet âne de Benesti ? » Je vous remercie, jeune homme. Au suivant. Oui, au suivant. J'ai vingt ans. Je comprends, à la minute, que je viens de commettre une gaffe impardonnable. Et je crois même, avec le recul, que j'ai fait, ce jour-là, l'erreur fatale d'où toute une part de ma vie doit presque mécaniquement découler.

Les gens croient, d'habitude, qu'il faut de grandes causes pour faire de grandes brouilles – ils se figurent que les querelles entre philosophes se jouent sur des affaires philosophiques. Mais non ! Jamais la moindre affaire avec le vieux maître. Jamais l'ombre d'une dispute de fond. Je me souviens d'avoir été, en ces années, l'un des plus vaillants soldats de la Cause. Mes interventions sur Bataille ! Mon assiduité au séminaire ! L'effroi de Dumur, quand je lui ai apporté mon article rue de Bellechasse et qu'il me l'a refusé ! « Cher ! différance avec un a ! vous ne pouvez pas écrire différence avec un a ! » Et moi qui insistais ! Et moi qui plaidais ! C'était mon premier article ! C'était déjà mon vieux maître ! La vérité, oui, c'est que nous n'avons jamais eu, entre nous, que le pharmacien Benesti. Il parle de Hegel, je pense à Benesti. Je fais mon exposé sur Nietzsche et Artaud, mise en parallèle du *Théâtre et son double* et de la *Naissance de la tragédie*, c'est lui qui pense à Benesti. Nous nous retrouvons face à face, un jour, dans l'autobus – big Benesti is watching us. Et le jour des états généraux de la philosophie ? A quoi pense-t-il, hein, le jour des états généraux de la philosophie ? J'ai la photo, à Paris. C'est lui, là, au premier rang. Je le reconnaîtrais entre mille, c'est bien lui. Eh bien c'est évident qu'il pense toujours à Benesti tandis que, à la tête de son petit commando, le visage convulsé par la rage, une main qui arrache le col de ma chemise, l'autre, poing fermé, à cinq centimètres de mon menton, saisie par le photographe à l'instant où elle va cogner, il essaie de m'empêcher de monter à la tribune et de parler.

Tout s'est enchaîné à partir de là. Non seulement avec lui mais, par contagion, avec les autres. Non seulement avec l'Ecole mais, au-delà de l'Ecole, avec les autres écoles, les chapelles, les sectes de l'intelligentsia, ses clergés, ses bas clergés, ses gangs, ses mafias. Mes polémiques et mes querelles. Mes ennuis divers et variés. Mes ripostes. Ma surenchère dans la provoc et l'insolence. Ma manie de donner des coups, d'en recevoir, d'en donner d'autres, et ainsi de suite. Le tour si particulier, en un mot, qu'ont pris, presque aussitôt, mes rapports avec l'institution philosophique puis avec l'institution tout court. Je n'étais pas fait pour le tumulte. J'étais plutôt un orthodoxe. Althusser, Foucault, Lacan, Barthes – et même, à un moment, Aron : j'étais client à toutes les adhésions, partant pour toutes les inféodations – j'étais le « disciple parfait » comme on dit le « gendre parfait ». Comment ne pas voir que tout a basculé là, en un instant, dans ce premier lapsus ? Comment ne pas sentir que ma vie aurait pris une autre allure – plus paisible, moins guerrière – si je ne m'étais mis à dos, dès le premier jour, celui qui était, à l'époque, le prince des philosophes ? Je n'en serais pas là – je ne serais pas ici, à Tanger, en train de méditer les causes et les conséquences du « grand échec », si je n'avais, il y a trente ans, confondu la pharmacie de Platon et celle de Benesti...

Le plus mystérieux évidemment c'est que, malgré ce qui s'est passé, malgré ces trente années, non seulement de querelles, mais de silence, ce soit lui que j'aie choisi pour m'aider à voir clair dans mon « paysage après bataille ». Il ne vient pas exprès, d'accord. Et peut-être n'aurais-je pas pensé à lui si je n'avais découvert, par hasard, l'annonce de ce colloque sur « Ibn

Battuta et la déconstruction du logos ». Mais enfin ! Colloque ou pas, j'ai appelé ! J'ai pris la peine d'aller chez Ali et j'ai appelé. « Allô ? » Le vieux numéro n'avait pas changé. Je le savais encore par cœur et il n'avait pas changé. « Allô ? Non, ce n'est pas une blague. Oui, j'aimerais vous voir. Non, je ne suis pas au colloque, mais il se trouve que je suis là et j'aimerais, comme je suis là, juste vous voir. » Pourquoi est-ce qu'il a, lui, accepté ? Pourquoi est-ce qu'il ne m'a pas raccroché au nez, quand il a compris que c'était moi ? Ça c'est *son* problème. Et je ne vais pas, ce soir, faire comme si j'allais poser – et résoudre – tous les problèmes de tout le monde. Non. Mon problème, moi, c'est de savoir pourquoi *je* l'ai appelé. J'ai des proches. Des amis chers. J'ai de vieux camarades de débat et de combat. J'ai un « réseau », comme ils disent – et Dieu sait s'ils me l'ont fait payer, ce malheureux réseau. Or arrive la catastrophe, le « grand échec », et c'est à lui – mon pire ennemi, ou peu s'en faut – que j'éprouve le besoin de téléphoner... Magie des commencements. L'âge d'homme et ses témoins. Le fait, aussi, qu'il soit le dernier représentant de la génération des saints patrons. Imaginons qu'Althusser soit là. Ou Barthes. Ou même Lacan, Clavel ou Foucault. Or ils ne sont plus là, justement. Se vit-il comme un rescapé ? Quel sentiment, quand, autour de soi, les rangs se dépeuplent à cette vitesse ? Pour moi, en tout cas, c'est très clair : si je l'ai appelé, si je vais à lui, c'est d'abord parce qu'il est l'ultime survivant d'une génération décimée.

Et puis il y a autre chose. Je l'ai percé à jour, sans doute, au moment de l'affaire Benesti. Mais la réciproque n'est-elle pas vraie ? N'est-il pas un des rares à avoir approché, tout de suite, quelques-uns de mes propres secrets ? Mes ignorances... Mes naïvetés... L'exposé sur Nietzsche et Artaud que je suis si fier de voir accepté par un « éditeur rive gauche cherchant d'urgence manuscrits pour publication » : oui, oui, vieux maître, rive gauche... quai aux Fleurs, près de chez Jankélévitch... des gens très bien, je vous assure... très sérieux... je signe dans une heure... ils m'ont juste demandé une petite contribution financière... Où en serais-je aujourd'hui s'il ne m'avait aussitôt dit, malgré Benesti, « malheureux, arrêtez ça » ? De quoi aurais-je l'air s'il m'avait laissé commencer par un premier livre à compte d'auteur ? Merci, vieux maître !

La vie, aussi... Les filles dans la turne... I. surprise, un matin, dans la salle des douches de l'étage, mêlée aux normaliens acnéeux, boutonneux et fortement gloussants devant son déshabillé extravagant... D'autres histoires de turne... D'autres histoires de femmes... L'histoire du hold-up raté de « Turlututu »... L'affaire des télés de l'Ecole : les six télés neuves, bonheur de normaliens, toute la ruche en émoi à l'idée de pouvoir enfin assister aux exploits du roi des abeilles, Laurent Fabius, vedette unique de « La tête et les jambes », la tête passe encore ! mais les jambes ! la figure inédite du normalien à cheval ! pfft ! envolées, toutes les six, la veille de la finale et lui, le vieux maître, qui passe dans la cour cette nuit-là, voit la camionnette de P., la Chevrolet de R., et, bizarrement, ne dira rien... Et puis I. encore, la semi-morte de l'hôpital Cochin – événement décisif celui-là, aux conséquences qui courent toujours : 12 ou 13 mai 68 ; Paris brûle ; je fais du stop à l'entrée du pont Alexandre III ; c'est lui qui, ce jour-là, m'amène jusqu'à l'hôpital ; et c'est à lui que, pendant le trajet, je raconte toute l'histoire – les premières douleurs autour de minuit... le sang qui commence à pisser... l'ambulance, coincée dans une manif, qui met une heure à arriver... le sang encore... de plus en plus de sang... il traverse les linges, maintenant... il sèche en croûtes sur le haut des cuisses, sur les jambes... elle ne pleure pas : elle râle, elle se convulse, mais elle a trop mal, ou elle est déjà trop faible, pour pleurer... je ne pleure pas non plus... je suis juste là, près d'elle, à changer, aussi vite que je le peux, les compresses avec le brancardier et à prier pour que l'ambulance passe, qu'il n'y ait pas de barricades rue du Faubourg Saint-Jacques ou, s'il y en a rue du Faubourg Saint-Jacques, qu'on puisse nous dégager un passage par la rue de la Santé... et puis, à l'arrivée, le comble de la désolation : dehors, la foule en liesse, des arbres abattus, une effervescence bleuâtre, un petit orchestre de jazz, jouir sans entraves, libérez les passions, ce n'est pas le rouge du sang c'est celui de la révolte, un type qui ressemble à Charles Hernu, juché sur une estrade improvisée, qui se fait joyeusement huer par le peuple des infirmiers et puis, à l'intérieur, des couloirs déserts, le chariot qui se coince, un malade qui hurle à la mort et elle qui ne crie plus, ne râle plus, ne remue même plus, elle est morte je me dis, ça y est, on a tellement tardé que le ventre a explosé, et elle est morte.

Qui, à part lui, sait cela ? Qui connaît les vraies raisons de mon absence des barricades ces nuits-là, et, au-delà des barricades, de mon non-engagement dans les groupuscules militants du moment ? Qui, sinon lui, parce que le hasard l'a mis sur mon chemin et que j'en avais marre de voler une bicyclette chaque matin pour aller jusqu'à Cochin, devine les ressorts de mon surengagement ensuite, dans les années d'après le gauchisme ? Syndrome Sartre.

Même réflexe, toutes proportions gardées, que celui de l'auteur des *Mouches* qui en rajoute, après la guerre, dans l'exacte mesure où il a le sentiment de n'en avoir pas fait assez pendant. Il sait, le vieux maître, que je ne passerais pas mon temps à courir après ces ex-gauchistes qui me détestent, il sait que je ne vivrais pas sous l'œil de ces gens qui sont ma famille sans l'être et dont je ferais mieux de tenir, une fois pour toutes, le jugement pour indifférent, il sait, il est un des très rares à savoir, qu'il n'y aurait peut-être pas eu dans ma vie – ou, en tout cas, pas au même degré – de Bosnie, de Russie, d'Algérie, de Salman Rushdie, si je n'avais passé cette période de Mai 68 au chevet d'une femme aimée, et sauvée, dans la chambre d'un hôpital déserté par ses internes en grève.

Qu'est-ce qu'une « cause » ? qu'est-ce qui fait qu'un intellectuel embrasse ou non les « grandes causes » de son époque ? Tous mentent. Moi le premier. Sauf qu'il y a un homme au monde – le vieux maître – qui dans un cas – le mien – connaît la vérité. Raisons privées, effets publics. Effet papillon perpétuel. La fameuse histoire du battement d'ailes qui déclenche, à l'autre bout du monde, un cyclone. Nous avons tous notre effet papillon. Nous avons tous notre femme aimée qui, dans un hôpital en grève, etc. Mais j'ai, moi, un vieux maître qui, encore une fois, est dans le secret. Peut-être s'en moque-t-il. Peut-être a-t-il même oublié, depuis longtemps, cette vieille histoire. Mais moi, ce n'est pas pareil. Il est, à jamais, l'homme de ce moment-là de mon existence. Quand on a un homme comme ça dans sa vie, on fait tout ce que l'on peut, ensuite, pour l'éviter. On n'aime pas plus le revoir qu'on n'aime, dans un dîner en ville, croiser son psychanalyste. Mais arrive le grand rendez-vous, la première vraie « cornada », arrive le moment où l'on est seul, soudain, face à sa propre perte et c'est lui que l'on élit pour être, comme dans un duel – avec soi-même – votre témoin.

Une heure à peine. Dans moins d'une heure il sera là. On lui aura montré sa chambre, « la plus belle de l'hôtel », avec sa moquette lépreuse, son odeur d'encaustique mélangée à du Baygon, ses dorures rafistolées à la bombe. Il aura sorti ses affaires. Mis son costume de rechange sur l'unique cintre du placard. Rangé sa raquette de tennis – joue-t-il toujours au tennis ? Il aura posé ses livres, et le texte de sa communication, sur la coiffeuse faux Pompadour, près de la fenêtre. Il aura tenté de prendre une douche, mais l'eau est froide. De se reposer un peu, mais vilaine marque de crasse noire, sur la tête de lit, à l'endroit du crâne des clients. Et il sera là, sur la terrasse, face à la mer, en train de regarder le soleil qui se couchera, la dernière brume de la dernière chaleur, le départ du bateau pour Algésiras – enfin Tanger ! Est-ce qu'il ne risque pas d'avoir, auprès de lui, une sorte de consul, ou d'organisateur de colloques, qui sera allé le chercher à la gare et se sera incrusté ? Non. Peu vraisemblable. Il sera là ou il ne sera pas là – et peut-être, après tout, n'y sera-t-il pas ! – mais il ne me fera pas, s'il est là, le mauvais coup d'être flanqué d'un ange gardien.

Il sera gêné, quand il me verra. Moi aussi. Je lui dirai : « allons marcher, c'est la meilleure heure. » On ira jusqu'au mirador de Dar Baroud. Puis jusqu'à celui de la kasbah. Après dîner, je l'amènerai au Marco Polo, ou à la Balnéaire des hôtels associés, ou encore dans une des boîtes chaudes du centre. Car je le connais, le vieux maître ! Je sais que rien ne l'amusera plus que de plonger comme ça, très vite, dans les lieux les plus glauques, là où on déconseille aux étrangers de trop s'attarder et où rôdent des femmes, parfois de très jeunes filles, prêtes à toutes les fantaisies. Où en est la campagne, à Paris, contre les pédophiles ? C'est drôle, cette conscience soudaine... La pédophilie c'est comme l'antisémitisme. Abject. Mais tellement bien partagé, hélas. Savent-ils, nos nouveaux censeurs, que c'est la moitié de la littérature mondiale qu'il faudrait, à ce compte, inculper ? Gide bien sûr... Montherlant... Colette et Lewis Carroll... Nabokov... Platon... Foucault... Les souks de Marrakech où, il y a encore dix ans, des gamins vieillis vous suivaient en répétant : « ti connais Monsieur Michel ? ti connais Monsieur Michel ? » Sans parler des anciens Grecs... Ni des grands Romains... Bref on ira marcher. Traîner dans ce Tanger de la nuit que j'ai tant aimé. Mais, d'abord, avant tout ça, on ira au café Tingis, à ma table – celle où, il y a trente ans...

Ah ! il y a trente ans... Rien que d'y penser, j'ai une irrésistible envie de rire... « Plus de stocks, hurlait-elle de la même voix enrouée qu'elle avait quand elle jouissait ! Plus de stocks ! » Et elle fondait en larmes, se jetait sur moi, me frappait – avant de recommencer : « plus de stocks ! plus de stocks ! » Il commandera un thé. Il retrouvera la mine de voyou du jour où je l'avais surpris – si gêné ! – au bar de la piscine du Ritz avec une poule qui n'était pas, mais alors pas du tout, le genre de Sylviane A. Oh ! ce n'est pas le Ritz, ici, vieux maître. Mais vous verrez... Il y a encore des jolies filles... Comme il y a trente ans, il y a des jolies filles... Nadine Gordimer a dit un jour : « ce qui se perd en premier, chez un romancier, c'est l'attention au détail sexuel. » Le vieux maître n'est pas romancier. Mais il faudra le regarder de près. Où en est-il, avec le détail sexuel ? y prête-il toujours la même attention ?

On restera un moment sans se parler, à s'épier l'un l'autre, à écouter les bruits du Socco et à regarder, au mur, les photos de pin-up, seins nus ou en maillots de bain, qui, mêlées à celles de Mohammed Ali, de Pelé ou de Martin Luther King, ont déchaîné, la semaine dernière, la colère de l'imam. Il aura des gestes incertains. J'aurai des propos idiots et convenus. Il fumera un petit cigare dont l'odeur se mêlera à celle du kif et de la menthe séchée. Il me dira sûrement que je mérite ce qui s'est passé : « qu'avez-vous fait tout ce temps ? vous étiez doué, vous avez tout gâché. » Je lui dirai : « non ; je ne renie rien ; vous connaissez le mot de Nietzsche, cité par Picasso, ou par Brassaï, je ne sais plus : " la meilleure cachette est une gloire précoce " ? eh bien voilà, j'ai eu cette chance, j'ai cette cachette, et tout, jusqu'au désastre, allait plutôt très bien. » Et lui encore, agacé par cette vanité qu'il m'a toujours prêtée et ne se rendant visiblement pas compte que c'est la même question qu'il y a trente ans : « bon, où en êtes-vous ? que faites-vous ? que préparez-vous ? avez-vous une idée de livre ? une idée tout court ? un concept ? »

Je sourirai – de ce sourire fragile, un peu

désarmé, que je déteste. Il ne comprendra pas pourquoi mais, en pensant à la scène d'il y a trente ans, je sourirai de mon sourire désarmé. « Je n'en sais rien, je lui dirai – et c'est parce que je n'en sais rien que je vous ai demandé de venir. » Il fera « oui » de la tête. Il me regardera de côté, toujours méfiant, histoire de voir si je me moque, si je suis aussi désarmé que je le dis – si ce n'est pas un piège que je lui tends, une nouvelle machination. Et puis, comprenant que c'est du sérieux, que je suis vraiment désorienté et ne sais à quel saint me vouer, il retrouvera son côté prof : « tout remettre à plat... Spinoza... Leibniz... Platon au réveil... spectres de Marx au coucher... le sujet est philosophe d'origine... doit donc revenir à l'origine... c'est un livre de philo, gros si possible, et solide, que le système attend de lui. » Tiens donc ! Un livre de philo ! Et solide ! C'est ce qu'ils me disent tous, à Paris, depuis le grand échec. Est-ce qu'ils se moquent de moi, par hasard ? Est-ce qu'ils me prennent pour un « deux ans » ? Quand j'en faisais, de la philo, ils la flinguaient. Maintenant que je n'en fais plus, c'est juste ce qu'ils voudraient que je fasse... J'aime la chaleur, ce soir, dans Tanger. J'aime cette lumière portée au blanc, qui brouille les sensations. Le volume des couleurs. Le ciel odeur de sel. L'ombre dense, dans le jardin des Toledano. Le parfum de cette maison espagnole qui semble abandonnée – ses tuiles rousses, son enceinte délabrée, cette pierre couleur de vieille tombe : c'est dans un palais semblable que nous avions, avec Gilles et de Roux, à Lisbonne, été prévenir Otelo de Carvalho du complot qui se tramait contre lui. On avait fait « boulevard du rhum », je me rappelle. Il avait joué à celui qui pense « bof ! les tueurs attendront bien encore trois minutes » et on avait pris le temps de faire un vrai « boulevard du rhum ». Longue table de ferme qui jurait avec le marbre des sols, les boiseries, les porcelaines entassées dans un coin. Repousser les gros dossiers en désordre – peut-être les plans de la prison de Cascais, ou ceux de la prochaine insurrection. Et, à la lueur de l'unique ampoule, les vingt petits verres à whisky, dix pour chacun, disposés sur le rebord de la table, lui à un bout, moi à l'autre, son officier d'ordonnance au milieu pour donner le top départ et guetter l'arrivée du vainqueur – ah ! quel émoi de faire « boulevard du rhum » avec un révolutionnaire portugais qui porte le nom d'un héros de Shakespeare ! Les cris des manifestants qui montent de la rue. Les sirènes. O Povo unido, jamais sera vencido. Et lui, face à moi, gros torse en mouvement, bras courts, poings énormes, cheveux ras plantés très bas, regard de brute triste, godillots délacés et léger sourire ironique éclairant son visage épais –

pas très « shakespearien », mais tant pis, je m'en arrange ! – qui avance irrésistiblement : je suis à mi-parcours et, sans se hâter, au pas de la promenade, il a déjà sifflé, cul sec, ses dix verres ! Il pleuvra, vers onze heures. Ce sera un orage bref, mais violent, avec une pluie chaude. Les grenouilles donneront de la voix. Les chiens sortiront de leur trou. Ils iront par bandes, en grognant, dans les rues pauvres de la médina. Serons-nous encore à table ? ou déjà au Marco Polo ? Comme nous n'aurons rien de mieux à faire qu'à attendre que ça passe, nous discuterons philo.

De la philo, vieux maître ! J'ai un vrai problème, avec la philo d'aujourd'hui. Ça fait un peu ancien combattant et A. va trouver que ça me vieillit. Mais lorsque je regarde ce qui se fait, lorsque je parcours leurs petits traités, leurs grandes vertus, leurs impromptus, lorsque j'apprends qu'ils ouvrent des cafés de philosophie et qu'ils y donnent des consultations, je me dis que la « nouvelle philosophie », il y a vingt ans, n'avait pas que du mauvais ! Bon. On allait vite, d'accord. On cognait dans tous les sens. Et je connais la musique – approximations, courts-circuits, concepts gros comme des dents creuses, et patati et patata. Mais enfin, je compare. Je mets d'un côté les petites vertus des moustachus, leur style courrier du cœur, leçons de politesse, savoir-vivre – et je mets, de l'autre, nos imprudences, notre goût du scandale c'est-à-dire de la vérité, nos blasphèmes, nos anathèmes, notre idée, qui était d'ailleurs la vôtre, qu'on pense comme on fait la guerre et que l'origine de la philosophie n'est pas la sagesse mais la polémique : savez-vous que, au Mexique, il y avait des alertes à la bombe dans les salles où nous parlions ? et qu'en Italie, quand on intervenait dans les facs, c'était devant des publics d'enragés qu'il fallait persuader de ne pas aller vers les Brigades rouges ? Vous m'avez appris une chose, vieux maître. Mais si, ne faites pas cette tête. Je ne suis pas en train de vous compromettre. Il y a une chose que vous m'avez apprise, et que je n'ai pas oubliée. La philosophie, ce n'est pas le bon sens. La philosophie, ce n'est pas la recherche de sens. Ce sont les religions, pas les philosophies, qui donnent du sens à ce qui n'en a pas. Ce qui n'a pas de sens ? La mort, la violence, l'énigme du mal absolu, le meurtre, les carnages, la souffrance. Eh bien vous avez les curés, face à ça, qui viennent dire : « mais non, mais non, pas de panique ; ce n'est pas ce que vous croyez ; ce malheur, cette horreur, cette poussière de petites souffrances, il existe une manière de les regarder, un angle, un point de vue, à partir de quoi tout rentre dans l'ordre – c'était du bonheur déguisé, de la providence qui se cherchait, c'était l'ombre du Bien, son envers, son chemin » ; et en avant les petits traités ! les grandes vertus ! les moustachus ! Et puis vous avez les philosophes, les vrais : « tout ça n'a définitivement pas de sens ; il n'y a ni consolation ni rédemption ; l'espèce est vouée à la mort, à la douleur, au manque ; et il ne suffit pas de changer de lunettes, donc de s'assurer du bon point de vue, pour ressusciter les morts et donner aux vivants des raisons de pavoiser ; on peut résister, bien sûr ; on peut regarder le mal en face et l'affronter ; mais sans happy end à l'horizon, sans espoir de guérison – ah ! cette furieuse volonté de guérir ! l'époque confond les philosophes, non seulement avec les curés, mais avec les assistantes sociales et les médecins ! Et cela, vieux maître, me dégoûte. »

Bien, bien, fera le vieux maître... Bien bien... Il ne saura pas trop ce qu'il préfère de cette philo d'aujourd'hui qui sent en effet la sacristie ou de celle d'hier qui ne lui plaisait pas non plus beaucoup (voir l'incident Benesti). Mais il se dira que, tant qu'à faire, entre le gang des moustachus et la connexion des Benesti, entre le haut du pavé d'aujourd'hui et l'insolent d'il y a vingt ans, il a peut-être intérêt à jouer – à la baisse ! toujours à la baisse ! – l'insolent qui appelle au secours. Pourquoi ne pas revenir à votre philo, il me dira ? Pourquoi, puisque la leur vous dégoûte, ne pas réactiver la vôtre et revenir dans le débat ? Il y a autre chose, vieux maître, je lui dirai. Vous allez trouver que, là, pour le coup, j'ai vraiment vieilli. Mais il y a une chose que j'ai, avec le temps, fini par comprendre. Mehdi me l'a dit, d'ailleurs, que j'ai vieilli, le jour de mon arrivée. Vous vous souvenez de Mehdi ? C'est lui qui occupait ma turne à l'époque. On s'était connus dans un collège jésuite de Versailles où j'enseignais l'histoire et où il tenait le standard. Le plus proche ami de l'époque. Le parrain de Justine. On ne s'est pas vus depuis dix ans. Quinze, peut être. La dernière fois, c'est bien simple, c'est quand on a essayé d'enlever sa petite fille. Bourget... Avion privé... Police privée au dernier moment... Intervention du préfet, du chef de cabinet du ministre... Quelle idée aussi, quand on est un jeune peintre dont le principal atout, dans la vie, est de pouvoir vous dire : « tu veux quoi ? une Danoise d'un mètre quatre-vingts avec une chatte blonde et des seins en pomme ? une Espagnole aux fesses hautes ? une dactylo sadomaso ? une charcutière de banlieue, par exemple Palaiseau, qui n'aime que sucer ? une fille de famille fétichiste ? une partouzeuse de cinquante ans ? donne-moi une heure, ou deux, ou la nuit, je te la ramène » et de vous la ramener en effet, toujours en avance sur le temps prescrit, café, puis lit, le mien aussi bien que le sien, je n'ai jamais compris comment il faisait, mais c'est comme ça, il le faisait et je n'avais même plus besoin de draguer – quelle idée quand on n'a que ça dans la vie d'aller faire un enfant à une princesse von C. dont la famille n'aura de cesse, ensuite, de vous écrabouiller et de vous le reprendre ? « Tu as vieilli, il m'a donc dit. J'ai vu tes photos le jour du " grand échec ", et tu as encore vieilli par rapport à tes photos. – Normal, je lui ai dit. Mon problème, depuis vingt ans, c'est que je n'ai jamais pris le temps de vieillir. Je pensais, comme le Talmud : " il est interdit de vieillir " et je faisais tout pour ne pas vieillir. Là, j'ai pris le temps. Et j'ai vieilli. » J'ai compris une chose, oui, vieux maître. Une seule, à nouveau. Mais elle est de taille et c'est peut-être elle, allez savoir, qui m'a fait vieillir d'un coup. C'est que Nietzsche avait raison de dire qu'une philosophie n'est jamais qu'une biographie mise en concepts. La philosophie n'est pas une sagesse, voilà ce que j'ai appris. La philosophie n'est pas un savoir. On fait de la philosophie, non pour connaître, mais pour convaincre – non pour raisonner mais pour gagner. Alors à quoi bon, quand on a compris ça, se fatiguer à composer des traités, aligner des preuves et des arguments – à quoi bon perdre du temps à plaider sa cause quand on sait que chacun a, de tout temps, choisi sa cause et son camp ? Et les vrais cons, vieux maître... Les fascistes et les vrais cons... Jusqu'à quand cette comédie de la « discussion » ? jusqu'à quand ce cinéma du « vrai débat » ? Leurs idées ne sont pas erronées, elles sont infâmes. On ne va pas les démentir mais leur opposer d'autres idées. La solution n'est pas de leur dire : « vos idées sont erronées, admettez-le » mais : « ces idées vous ressemblent, je les combats comme je vous combats – et ma manière de les combattre est de faire valoir mon propre parti. » Parti contre parti. Biographie contre biographie. Il faudrait (Nietzsche encore, et Cioran) philosopher par décret. On ne devrait (Baudelaire) philosopher que par fusées. On ne devrait prendre la peine de publier, oui, que de belles fusées de mots, capables, comme le phare de Tanger, d'éclairer de vastes espaces de pensée. Des fusées et des phares : vous me voyez faire de la philo avec, pour toute ligne, Baudelaire ?

Et puis, j'ai une dernière objection. Est-ce qu'on peut écrire un livre comme ça, de chic, en faisant comme si rien – « bon... il y a eu cette tentative... ça n'a pas marché... on oublie tout... on repart de zéro et on revient à la philo... » ? Est-ce qu'on peut renouer avec Leibniz, Hegel, Kant en faisant comme s'il n'y avait pas eu, entre-temps, le « grand détour », puis le « grand échec » – est-ce qu'on peut revenir au nœud précédent sans dénouer, d'abord, celui qui vient de se boucler : le dernier, le plus douloureux, celui qui s'est intercalé entre la philosophie et vous et qui, pour le moment, vous ligote et vous fait suffoquer ? Non, bien sûr, on ne peut pas. Un écrivain c'est comme un roman. Un chapitre. Un autre. Un troisième. Et ainsi de suite jusqu'à la fin – et tant pis pour les longueurs, les épisodes moins bien enlevés, les redites, les tunnels : eux aussi font partie de l'histoire ! sans eux non plus, pas d'intrigue ni de personnage ! Amusez-vous à en passer un. Risquez-vous à dire : « tiens ! l'épisode grand détour est moins bien venu ; pourquoi ne pas le sauter, l'ellipser, " monter " directement le prochain chapitre sur l'avant-dernier ? » C'est toute l'histoire qui deviendra bancale. Ou absurde. Ou impossible, même, à poursuivre. Et vous vous retrouverez là, à Tanger, jusqu'à la fin des temps, à vous acharner sur un livre qui ne viendra pas. Règle d'or de l'écrivain (selon Pavese) : ne pas faire le serpent ; ne pas rejeter trop vite la peau qui vient de mourir ; ce qui est intéressant c'est les métamorphoses, pas les mues – et le propre d'une métamorphose c'est que la nouvelle forme, ou la nouvelle peau, sortent de l'ancienne et, donc, la conservent. Autre règle (la même, en fait) : reprendre les mégots de la nuit précédente ; sur les mégots anciens, rimer des bouts nouveaux ; le soir va tomber tout à l'heure, on allumera des feux sur les collines – il faut faire comme ces bergers, immobiles derrière leur rocher, avec leur peau de vieil iguane, qui ont eu la sagesse de garder, toute la journée, leur feu de ce matin. Autre règle encore (toujours la même) : enchaîner, ne jamais couper ; esprit de suite, pas table rase ; j'ai eu beau, depuis vingt ans, passer de la philo au roman, du roman au théâtre, du théâtre au film de guerre et du film de guerre au film tout court, c'était la même aventure que je poursuivais, les mêmes histoires qui m'obsédaient ; je passais d'un genre à l'autre comme, au relais de poste, on change un cheval fourbu ; je ne changeais pas de genre pour changer de questions mais pour reprendre les mêmes questions au point où le genre ancien avait calé, puis déclaré forfait et, finalement, les avait laissées ; « voilà disait l'essai au roman, ou le roman au théâtre, ou le théâtre au cinéma, voilà, je ne ferai pas mieux, je n'irai pas plus loin, à vous de jouer maintenant, à vous de reprendre la question et de la traduire dans votre langue, à vous, genre nouveau, de reprendre le témoin et de parcourir, avec lui, un bout de chemin – c'est cela qu'il faut faire aujourd'hui, c'est exactement cela qu'il faut refaire, et certainement pas tourner la page, repartir de zéro, etc. » Ça y est, le soleil se couche. Il fait plus frais, soudain. Le ciel prend sa couleur rosée avec, encore, de grands éclairs de lumière. Je ne sais pas ce que sera mon prochain livre. Mais je sais qu'il portera forcément la marque de tout ce qui s'est passé. Le grand détour. Les questions qu'il m'a permis de résoudre. Celles qu'il a posées mais qu'il m'a laissées sur les bras. L'échec aussi. La place qu'il occupe désormais dans ma vie. Ce bide à déflagration. Un vrai « bide bang ». Ce sera un livre *d'après* le grand détour. Et, donc, *d'après* le « bide bang ».

2

Un livre sur le bide bang, alors ? Carrément sur le bide bang ? Oui, bien sûr. Pourquoi pas... Croquis et anecdotes. Fragments d'autobiographie. Souvenirs en forme de plaidoyer ou, au contraire, d'autocritique. Qui, si ce n'est moi, racontera sereinement *Le Jour et la Nuit* ? Qui, si je ne le fais pas, dira la vérité, toute la vérité, sur ce moment de mon existence ? Il faudrait savoir aussi, bien sûr, pourquoi c'est Tanger que j'ai choisi. Le passé, je suppose. Le retour, bien compréhensible, sur une des « grandes scènes » de ce passé. J'ai vingt ans. Même pas, dix-huit. Je n'ai pas la moindre idée, encore, de l'écrivain que je deviendrai – alors le cinéaste ! l'écrivain en chair et lumière ! Je suis juste très libre. Très affamé de sensations. Accumulant les joies et les vivant au rythme d'un éternel été. Quoi de plus naturel que de revenir aujourd'hui, après la déroute, en un lieu où, il y a trente ans, je me suis senti si heureux – et où je n'avais, bizarrement, jamais remis les pieds ?

Le cinéma donc. Mon désir de cinéma. La première chose à dire serait celle-ci : je ne m'intéressais pas tant que ça au cinéma en tant que tel ; c'est dans mon histoire, pas dans la sienne, que ce film s'inscrivait et aurait, en bonne logique, mérité d'être jugé ; la première question – je ne dis pas la seule, mais la première – aurait dû être, comme pour tous les écrivains qui s'emparent d'une caméra : « quel lien avec les autres livres ? quel lien entre cet Alexandre à bout de souffle, recru de guerres, de spectacle, de politique et, par exemple, mon *Baudelaire*, ou l'Anatole du *Jugement dernier* ? » La théorie du relais, toujours. Ou celle que vous aimiez citer, vieux maître, de la « flèche » tirée par un « archer », et par un autre ramassée – sauf que l'autre, là, c'était moi. Ou celle encore de la « maison », que Fassbinder prend à Balzac et que je reprends à Fassbinder : je n'ai pas de maison ; je n'ai pas envie d'en avoir ; mais j'ai des livres qui en tiennent lieu, avec leurs caves et leurs étages, leurs greniers, leurs coulisses, leurs pièces communicantes ou condamnées ; eh bien voilà, j'ai fait un film qui, au sens de Fassbinder et de Balzac, est une aile de ma vraie maison... Si Tanger est resté Tanger ? Si la ville n'est pas, en trente ans, devenue l'ombre d'elle-même – mythologie morte, folklore, pacotille ? C'est, déjà, ce qui se disait voilà trente ans. Et on le disait même, trente ans plus tôt encore, quand arrivaient les premiers Américains de la « beat generation » et que les « vrais » Tangérois leur reprochaient d'être des sangsues, suçant le sang de la ville pour en faire, déjà, du folklore. Ce vieux-là, par exemple, qui traverse le carrefour – titubant. Quel âge peut-il avoir ? Quatre-vingts ans. Peut-être plus. Sa dégaine de rocker édenté. Sa vieille gueule tannée, ou fardée, je ne sais pas. Son pantalon, étroit sur les hanches, savamment froncé aux fesses. Sa casquette de paille, très officier cubain en Afrique, qui écrase ses dernières touffes blond platine décolorées et leur donne du volume. Est-ce qu'il appartient au Tanger d'aujourd'hui ? à celui d'hier ? d'avant-hier ? Que Tanger soit « démodé », que sa saison soit « finie » sous prétexte, comme disent les mondains, que « les gens » n'y viennent plus, voilà qui me ravit et ne me le rend que plus désirable.

Ma femme. Ma propre femme dans mon propre film. C'est une autre question à éclaircir. Mon goût des actrices, bien sûr. Ce goût de la « femme exposée » dont Arthur Miller raconte qu'il l'a, lui, « exposé » – au sens de « mis en péril » – comme aucun autre de ses écarts : « un écrivain qui épouse une actrice doit savoir qu'il apporte le grief, sur un plateau, à ses détracteurs ; quelle part de lui, se demandent jusqu'aujourd'hui les plus puritains de mes adversaires, c'est-à-dire, pour être clair, les trois quarts de l'Amérique, a-t-elle pu se laisser captiver par un être dont le nom est personne, et le visage légion ? » Mais aussi, plus que mon « goût », ma passion pour cette actrice-ci, cette femme-actrice en particulier. Si j'ai fait ce film aussi pour elle ? Naturellement. Si je trouve ça normal ? Parfaitement normal. Ce que j'avais en tête, le faisant ? Lui offrir – rien de moins ! – le plus beau rôle de sa vie. Si une part de moi le regrette ? Pour elle, à la rigueur – pauvre chérie ! Pour moi, jamais – car comment, de toutes façons, faire autrement ? n'est-ce pas tout un d'aimer une femme et de la filmer ? le désir même de filmer, d'écrire avec un corps, n'est-il pas lié, chez un cinéaste, au désir tout court de ce corps ? Peut-être le vieux rocker édenté va-t-il se suicider, dans le fond. Peut-être a-t-il mis sa belle casquette de paille, sa chemise de satin blanc bien ajustée, ses épaulettes militaires, ses mules aux talons hauts qui le font trébucher, pour aller mourir en beauté – splendide une dernière fois, dernier vestige de la splendeur de Tanger.

L'affaire des « points de vue ». Le parti pris – auquel je tenais tant et où tenait, surtout, mon vrai pari formel ! – d'un film cent pour cent subjectif. La volonté, pour chaque plan, réellement chaque plan, de pouvoir répondre à la question : « qui regarde ? qui raconte ? de qui cette image est-elle la représentation, la vision, le point de vue ? » Il y avait l'explication officielle, que je donnais aux acteurs, assistants, techniciens : « la littérature fonctionne comme ça depuis, au moins, cinquante ans ; il est temps que le cinéma s'y mette ; jusqu'à quand, à la question " pourquoi la caméra est-elle là plutôt qu'ici ? de qui, au juste, est-elle l'œil ? pourquoi y a-t-il de l'œil plutôt que rien ? " les cinéastes continueront-ils de répondre, comme ils font presque toujours : " l'œil du spectateur ", ou " l'œil du metteur en scène " ou " l'œil de qui vous voudrez, j'ai juste voulu que le plan soit beau, l'angle audacieux ou intéressant " – réponse qui, s'agissant d'un roman, ferait légitimement hurler de rire n'importe quel lecteur de Joyce ou de Faulkner ? » Et puis il y avait l'autre explication, plus difficile à révéler, car intime, à la limite de l'inavouable – mais à quoi bon ce livre si je n'y retourne toutes les cartes, même les plus intimes, inavouables ? A., justement. Ma femme-actrice. Le jour où elle m'a révélé comment, longtemps avant de me connaître, elle a passé plusieurs après-midi, rue Servandoni, depuis la fenêtre de l'appartement d'en face, cachée derrière un rideau, à m'espionner dans la chambre de M... Elle était actrice. Mais M. l'était aussi. En sorte que je me trouvais pris entre les deux feux d'une situation qui allait être, quinze ans après, exactement celle de ce film : espionné par une actrice dans le lit d'une autre actrice ; faisant l'amour sous le double regard en miroir de deux femmes qui, parce qu'elles sont, donc, toutes deux actrices, ont vocation à n'être jamais si précisément elles-mêmes que sous le regard d'un autre tiers qui les filme. D'un côté Faulkner, la polémique Sartre-Mauriac, la structure triangulaire du désir selon Girard, l'apprenti cinéaste qui la ramène avec sa « grande révolution culturelle survenue dans l'art du roman mais qui tarde à gagner les écrans ». En face, l'humour courtois de cette autre histoire de l'œil – d'autant plus troublante que je n'ai jamais pu savoir, jusqu'aujourd'hui, quelle part de moi-même s'y est trouvée, au juste, épinglée. Entre ces deux « influences », qui dira laquelle, le moment venu, aura décidé du style adopté ?

Les femmes encore. Comment je n'ai jamais pu écrire – alors filmer ! – que sous le regard des femmes, et pour elles. Et comment, dans l'ascendant qu'un homme exerce sur ses semblables, un écrivain sur ses pairs, un futur vieux maître sur ses déjà disciples, je n'ai jamais pu m'empêcher de penser que cette affaire de femmes était primordiale. Beaumarchais dans l'Avertissement de *Figaro*... Sartre, dans le passage que je cite toujours des *Carnets de la drôle de guerre*... Drieu... Que resterait-il de Drieu s'il n'y avait pas eu ses femmes ? Châtelet, François Châtelet, qui fut mon premier maître de philosophie : avait-il rien de plus philosophiquement enviable que la belle Marina V., actrice encore, qui l'attendait à la sortie de Louis-le-Grand ? Et vous, vieux maître, mais oui, vous-même, il y a trente ans – je m'en souviens, vous pensez ! c'était l'année de mon entrée à l'Ecole en même temps que l'année de Tanger ! vous pensez quoi ? que vous deviez votre faveur, dans le peuple des normaliens, au « a » de la « différance », à votre relecture de Freud ou au fait d'avoir fini, avec le temps, par maquiller la pharmacie de Benesti en pharmacie de Platon ? Plaisanterie ! Si nous vous admirions, si nous venions si nombreux vous entendre, chaque semaine, salle Cavaillès et si, aujourd'hui encore, à Tanger, c'est vers vous que je me hâte et vers l'hôtel où vous m'attendrez dans maintenant quarante minutes, c'est parce que j'étais, comme tout le monde, amoureux de la plus jolie des normaliennes, Sylviane A. et que le bruit courait qu'elle était votre maîtresse. Quel est l'écrivain sérieux qui niera que, s'il écrit, c'est parce qu'il ne peut pas faire l'amour toute la journée ? La grande aventure d'un écrivain : le corps, pas l'âme. Le vrai théorème : non pas « le corps prison de l'âme », mais « l'âme prison du corps ». Son vrai matériau, son expérience non pas originaire mais constante : l'animal en lui – tapi, traqué, acculé et, parfois, triomphant. Un écrivain est quelqu'un qui ne croit pas à « l'amour » mais à « la passion » : ça vous dit quelque chose, vieux maître ? si, si, cherchez bien – je suis sûr que ça vous dit quelque chose...

Le cinéma encore. Mes liaisons bizarres, et dangereuses, avec le cinéma. Tout commence en 1975. Rue des Saints-Pères. Il est deux heures du matin. Je n'ai pas encore cessé de boire et c'est l'époque où, chaque soir, à la même heure, à la porte de mon bar favori, celui où je sais que je trouverai peut-être, aussi, une fille pour finir la nuit, j'hésite : « un dernier verre ? pas de dernier verre ? » Et c'est alors qu'arrive à ma hauteur un très vieil homme, feutre à large bord, houppelande noire, légère claudication, cravate rouge, bottes cirées comme des théières, haleine mentholée quand il s'approche pour me parler, œil très bleu. Je mets un peu de temps à le reconnaître. Je mets plus de temps encore – des années ! – à comprendre qu'il est en train de me draguer comme un micheton. « Je suis Louis Aragon, il me dit. Je vous observe depuis le boulevard. Avez-vous lu *Aurélien* ? Vous êtes Paul Denis. J'aimerais que vous incarniez Paul Denis dans l'adaptation d' *Aurélien* que préparent Michel Favart et Françoise Verny. » Le film se fait. Je le fais. Le temps passe. Je l'oublie. Et le voici qui, hasard des calendriers, sort la semaine de la parution de *La Barbarie à visage humain.* A gauche, le normalien qui tonne contre le Goulag, dénonce la gauche officielle et prétend inventer rien de moins qu'une « nouvelle philosophie ». A droite, l'acteur débutant qui a droit à sa bagarre, ses scènes en moto sans cascadeur, sa mort, sa scène d'amour – osée – avec Bérénice. L'écart est maximal. Le malentendu ravageur. C'est mon autre faute de carre. *Le Figaro* titrc : « un philosophe en caleçons. » *Le Figaro littéraire* : « un philosophe *sans* caleçons. » J'aurais dû me méfier. J'aurais pu me douter que le cinéma, par principe, ne me portait pas nécessairement chance.

Le cinéma, toujours. L'enchantement, malgré tout, du cinéma. Si j'avais à répondre, là, tout de suite, à la question : « que fut le cinéma pour vous ? quelle place a-t-il tenu, et tiendra-t-il, dans votre vie ? », je crois que je dirais : une drogue, un alcool, une irradiation sans précédent de connaissance et de désir, une amphèt. J'expliquerais : faire du cinéma c'est comme voyager dans le temps, devenir un personnage de roman, plonger depuis les falaises de Aguazul sans se tuer, lire pour la première fois *Le Festin nu* en buvant du thé glacé, regarder le soleil en face, inventer des mots qui marchent tout seuls, réchapper d'un bombardement sur les collines de Sarajevo, gravir les pentes du Popocatépetl et contempler son lac de feu, arriver pour la première fois à Tanger, par la mer, depuis Algésiras, sortir d'un labyrinthe, faire fortune au casino, percer le secret des *Nouvelles Impressions d'Afrique* ou celui de la traduction de *Finnegans Wake*, apprendre qu'on peut faire jouir un autre corps, savoir tirer de lui ce qui vous est le plus interdit, voir en vrai *Guernica* ou les *Baigneuses* de Cézanne, comprendre que l'on gardera son propre secret même, et surtout, si l'on est forcé de le publier, cesser d'être obligé de croire à la société et se mettre à croire, au contraire, à la résurrection des corps, apprendre à faire une coupe dans une âme, inventer la plus longue des étreintes ; c'est un antidépresseur ; un accélérateur de particules de joie et de pensée ; c'est une bombe à fragmentation mentale, une machine à déclencher des tempêtes d'idées et de bonheur, un poison délicieux ; c'est l'équivalent d'un comprimé, matin, midi, soir, de mon captagon adoré ; c'est le moment de ma vie où je me suis senti le plus vivant, le plus heureux. Cela ne se voit pas dans le film ? On peut dire ça, oui. On peut toujours ricaner. Moi, je n'en sais rien. Il faut très très longtemps, dit Godard, avant de pouvoir regarder son propre film. Godard qui, par parenthèse, m'aura procuré la dernière joie de l'aventure : le jour, au plus fort de la bataille, alors que se comptaient les signes de sympathie, où il me fit porter, chez moi, par Alain Sarde, un poème qui s'appelait « Eloge de l'amour ». J'en sais la première strophe par cœur : « Une trinité d'histoires. Le début. L'accomplissement. La fin. Le renouveau. De l'amour. » La dernière : « Modifications par l'âge. Les conditions sociales. De l'amour. Passe le temps. Ne bouge pas. Restent les humains. » Et, de sa main, à l'encre noire, grosse écriture appliquée : « à BHL, JLG, amicalement. »

Delon. Mes vrais rapports avec Delon. Leur violence extrême. Leur tension. Pas le conte de fées sirupeux que nous avons lui et moi – moi d'abord et lui, ensuite, par loyauté – tenté d'accréditer. Son intelligence des situations. Son goût de la stratégie. Les conneries qu'on m'avait dites sur le côté « animal » du personnage alors que j'avais affaire à l'un des joueurs d'échecs les plus redoutables de la place.

L'air de l'actrice à la énième prise – quand elle trouve son vrai visage, celui qu'elle n'a que dans le sommeil ou dans l'amour.

L'autre actrice à qui j'ai fini par dénouer les cheveux : très belle soudain – plus nue que si je l'avais dévêtue, le sachant d'ailleurs, gênée, et me donnant le meilleur de son jeu.

L'autre actrice, encore. Sa mélancolie. Sa grâce. Et une telle envie, en même temps, d'échapper au ghetto du cinéma français dit « d'auteur » ! C'est drôle, d'ailleurs. J'ai tout de suite su, moi aussi, que ce serait « eux ou moi », ce « jeune cinéma » ou le mien – et que le combat serait sans merci. Oh ! Ce n'était pas dur à savoir... Vu que c'étaient les mêmes... Eternellement et étrangement les mêmes... Comment est-ce possible, au demeurant ? Comment peuvent-ils se reproduire ainsi, d'âge en âge, depuis trente ans ? Peut-être est-ce une secte, après tout. Une maçonnerie innommée qui aurait perdu ses dogmes mais perpétuerait ses rites. Je ferme les yeux... Je les vois... Je les entends... Le décor a eu beau tourner... L'époque battre et rebattre ses cartes... Ils ont beau n'être plus militants, étudiants, philosophes, mais cinéastes... Ce sont les mêmes mots de passe qu'il y a trente ans... Le même cynisme soi-disant dialecticien... Les mêmes tics de langage, la même gouaille, la même façon faux-peuple, élégamment débraillée, de s'habiller – la seule qui défie les modes ! Et bien sûr, à mon endroit, la même intraitable hostilité, à chaque étape, chaque rendez-vous...

Eux ou moi, donc. J'ai compris que j'avais perdu, j'ai su que le film ne marcherait pas, le jour où est paru « leur » texte de soutien aux immigrés sans papiers. C'est très clair dans mon souvenir. Je suis en taxi. Je vais à Canal Plus me faire traîner dans la boue en direct (« c'est le jeu », a dit Stéphane, le distributeur, il faut aller « sur le terrain de l'ennemi »). Je m'arrête pour acheter *Le Monde.* Et j'y lis non seulement le texte même de l'appel mais un commentaire de Frodon qui dit en substance : « quelle leçon de voir ces cinéastes réputés marginaux, nombrilistes, narcissiques, reprendre le flambeau et monter à l'avant-garde de la juste lutte contre le fascisme. » Je sais, à cet instant, que la partie est jouée. Non pas, bien entendu, que leurs films soient miraculeusement devenus meilleurs. Ni le mien, plus mauvais. Ni même plus acharnée à me nuire, la troupe des ennemis. Mais c'est comme si l'ensemble du paysage avait basculé : leur « petit » cinéma montant en première ligne de l'engagement le plus brûlant, c'est mon « grand » cinéma lyrique qui part dans les décors d'un Mexique dont personne n'a, tout à coup, rien à cirer ; j'ai perdu mon argument majeur qui était celui de la-belle-œuvre-lyrique-venant-remédier-auxcarences-d'un-cinéma-de-petites-natures-qui-ne-s'intéresse-qu'aux-drames-sentimentaux-dans-les-banlieues-et-les-cuisines. Les œuvres, moins importantes que les rapports de force. Les talents, que les climats. La physique des forces symboliques, comme d'habitude, sans pitié. J'ai fait un pas de trop dans les années quatre-vingt pendant qu'ils entraient, eux, dans la nouvelle époque.

C'est ce genre de choses qu'il faudrait dire dans ce livre. Comme ça. Sur ce ton. Au rythme de la marche. Car qu'est-ce, au fond, qu'un livre ? Qu'est-ce qui est le plus important, quand on commence un livre ? Voilà qui est, pour le coup, extraordinaire... Au bout de la rue... A la dernière table ensoleillée du café Iberia... Le sosie de mon Benjamin ! Le T-shirt, large sur le cou, un peu cradingue comme il les aimait – j'avais essayé, à l'époque, de doubler la secte sur sa gauche. La naissance de la nuque. La tête penchée en avant, regard perdu dans sa tasse de café. Cette façon de s'asseoir qui n'est qu'à lui – un peu en porte-à-faux, léger déséquilibre, comme s'il était prêt, à tout moment, à se lever et partir. Et jusqu'à l'Iberia qui ressemble – je ne m'en étais jamais aperçu – au café arabe de Jérusalem où BHL, à la fin du roman, est censé rencontrer son héros. Je me souviens de Benjamin. Je me souviens, il y a treize ans, de l'année du *Diable en tête*. Je me souviens que c'était, aussi, une année de bonheur : vingt ans après Tanger, mais encore le vrai bonheur – le grand amour, le premier roman, Paris qui me sourit, l'insouciance, le Goncourt que je rate mais qui va à Marguerite Duras ; c'est un cadeau du ciel, je me disais, d'être, pour son premier roman, battu au Goncourt par Marguerite Duras ! Je me souviens de Duras. Est-ce que j'aimais, vraiment, ce qu'elle écrivait ? Non, bien sûr. Mais c'est le personnage qui était drôle. Ce coup de génie d'être de gauche en prenant pour pseudonyme le nom d'une grande aristocrate. Ce talent de transformer ses ridicules en étendards. Elle avait un côté haute couture. On se disait : « modèle unique, prototype – vous me voyez porter ça ? écrire comme ça ? il n'y a qu'à la Duras que ça aille, il n'y a qu'elle pour oser dire, sans se déconsidérer, qu'un jeune homme s'est branlé contre son dos, à la Maison de l'Amérique latine, le soir de la réélection de Mitterrand. » Et puis le réseau de la rue Saint-Benoît... Ce fut sa grande roublardise, et sa grande chance, le réseau de la rue Saint-Benoît. Ramon Fernandez au premier. Drieu qui lui rend visite. Mitterrand entre deux complots. Claude Roy. Des vrais résistants – Morin, Mascolo, Antelme – pour faire bonne mesure. C'est le réseau qui sauve. Le meilleure entreprise de blanchiment de l'époque. C'est, en termes cyclistes, la bonne échappée du moment. Et si le génie de Duras avait été de se placer, d'abord, dans la bonne échappée ?

Où en étais-je ? Oui. Qu'est-ce qu'un livre ? Et quand sait-on qu'on le tient, qu'on l'a au bout de la langue et de la plume ? Un rythme. Une cadence. Parfois, les écrivains se figurent qu'il faut, pour se mettre à écrire, un sujet, un projet, une veine inexploitée, une expérience brûlante, un fait divers. Je crois, moi, qu'il suffit d'un rythme. D'un souffle. Je crois qu'un livre c'est un style et qu'un style c'est un corps – un élan, un mouvement, un aménagement ou un dérèglement du corps en mouvement. Je crois qu'on tient son livre quand on contrôle son corps. Je crois que l'on contrôle son corps quand on maîtrise son souffle. Et la preuve en est que je n'ai jamais pu commencer mes livres autrement que par la ponctuation : la taille des paragraphes ; la place des points et des virgules ; pas encore les mots, non, ni vraiment le sens, mais le moment, presque l'endroit, où le sens devra expirer (« point »), haleter (« virgule »), souffler un peu, mais sans perdre haleine (« point-virgule »), reprendre souffle au contraire, conjurer, surtout si la phrase est longue, le risque d'essoufflement et s'élancer de plus belle à partir d'une nouvelle inspiration (beauté du « tiret » ! mais attention ! à l'expresse condition de n'être jamais suivi d'une virgule !) ; le récit doit-il s'emballer ? points de suspension ; tourner sur lui-même, s'enrouler autour d'un centre immobile ? longue cadence, ponctuation régulière mais rare ; doit-il exploser, s'étoiler comme une vitre cassée ? alinéas nombreux, paragraphes d'une phrase, parfois d'un mot ; faut-il une majuscule après les points d'interrogation et exclamation ? hérissement de la phrase, surgissement calculé d'un obstacle ; pas de majuscule ? refus de la rupture, neutralisation du sens – c'est, en général, ma ligne même si elle semble hérétique aux correcteurs et typographes ; et, en cas de citation ? la faut-il entière, la citation (risque de parasitage d'un rythme par un autre, d'un souffle par un contre-souffle) ou artificiellement fragmentée (mais que d'ennuis, alors ! colère des antistylistes qui, à l'époque de *L'Idéologie française*, m'accusaient de « tronquer les textes ») ? Mes manuscrits, dans leur premier état, ne sont pas écrits mais composés. Ils ne consistent pas en mots, mais en mouvements. Ils ne ressemblent pas à des brouillons, mais à des partitions. Et ce n'est évidemment pas un hasard non plus si j'ai cessé, non seulement de faire, mais d'écouter de la musique le jour où j'ai commencé d'écrire : « ça va revenir, je me disais... c'est cette année d'absence au Bangla-

Desh... ce retour un peu chaotique... on n'oublie pas si facilement, de toute façon, quinze ans de piano, Alfred Cortot, l'Ecole normale – l'autre, celle de Musique, où j'ai, également, passé tant d'heures merveilleuses ! » Jusqu'au jour où il a fallu me rendre à l'évidence : j'étais devenu comme sourd... je fuyais les lieux à musique... c'était à croire qu'une musique, dans ma tête, s'était rythmiquement substituée à l'autre... et le fait est que les années passaient et que je n'ai jamais plus entendu un air, acheté un disque, installé une chaîne pour en écouter, pris un billet d'opéra : moi qui me voulais, non sans affectation, « musicien avant toute chose » et qui ne laissais jamais passer un jour sans avoir travaillé mon heure de piano, je vis depuis trente ans sans musique autre que celle des livres. La musique ou les livres. La musique et les livres. Donnez-moi une musique, je vous donnerai un livre. Donnez-moi un rythme, je vous soulèverai, non le monde, mais la difficulté de ce livre-ci. Je ne connais qu'une expérience décisive pour un écrivain : la découverte d'une cadence inédite. Pour moi, qui ne marche jamais : l'expérience de la marche dans Tanger retrouvé.

Derechef, pourquoi Tanger ? Qu'est-ce qui fait qu'on choisit une ville plutôt qu'une autre ? Et suffit-il de dire : « le passé, le bonheur, l'année de mes dix-huit ans, Mehdi, Ida, et compagnie ? » Tiens, Ida... Ça fait des siècles que je n'ai plus repensé à Ida... Et pourquoi, d'ailleurs, y penserais-je ? J'ai si peu de mémoire inutile... Si peu de réserve... Je n'ai guère de souvenirs d'enfance par exemple... Pas davantage de souvenirs d'adolescence... Je n'ai même pas d'image très sûre de la première femme, la première fois... Ou alors ce sont des images flottantes, vagabondes, que j'ai du mal à dater, ou à assigner à un contexte, ou même à m'attribuer, moi, à coup sûr, sans risque de quiproquo : des images nettes sans doute, bien cadrées, mais soit trop rares, soit, au contraire, trop nombreuses et qui sont comme des images perdues, sans collier, à qui la mémoire aurait laissé la bride trop longue – le contraire, en somme, du souvenir proustien si solidement arrimé, lui, au sol objectif où il sommeille. Alors Ida... C'est pareil, Ida... Dieu sait si elle a compté ! Dieu sait si nous avons été heureux, cette année-là, entre Achakar, la crique de Margaret McBay, le Minzah, le Continental. Et il faut me forcer pourtant – ou marcher, ce soir, dans Tanger – pour que, de cette mémoire bizarre, de ma mémoire en peau de léopard, me reviennent des souvenirs d'elle – précis, *situés*.

Donc, Tanger. La marche dans Tanger.

J'ai toujours cru que les choses – donc les villes – ne commencent réellement d'exister qu'après que la littérature s'en est emparée. Il y a une existence du premier genre – quand la littérature n'a pas dit son mot et que la ville, ou la chose, est terra incognita des écrivains. Il y a une existence du deuxième genre – après que des écrivains y ont accosté et qu'avec leurs colonnes de mots, leurs escadrons de métaphores, leurs bataillons de chiasmes, anaphores, hypallages, allégories, ils ont entrepris de l'arraisonner. La plupart des villes existent à peine : Marrakech, par exemple ; type même, malgré Canetti, de l'existence du premier genre ; j'y pense parce que c'était ma première idée, que j'ai failli m'y installer et que j'ai vite compris – trois semaines ! – que je n'y écrirais rien de fameux. Quelques-unes existent pleinement : New York, bien sûr ; Venise ; Paris ; Prague avec Kafka ; mais aussi, donc, Tanger à cause de Bowles, Burroughs, Gysin, Tennessee Williams, Joe McPhilips, Emilio Sanz, Christopher Wanklyn, John Hopkins – la fameuse photo de *Esquire* ; y sont-ils tous ? je n'en sais rien... je m'en fous... de même que je me fous de savoir si la « légende » de Tanger ressemble, ou non, à sa « réalité »... Car la légende est une *autre* réalité. C'est une seconde, troisième, *énième*, couche de réalité. C'est un *gain de réel* comme on dit de la beauté, en amour, qu'elle fait juste « gagner du temps » . Pour un écrivain, pour un amateur de littérature, pour quelqu'un qui, dans sa vie, accorde autant de matérialité aux mots qu'aux choses et se sent chez lui parmi les premiers autant, ni plus ni moins, que parmi les seconds, le fait de déambuler dans une ville qu'ont racontée Burroughs, Genet, Ben Jelloun ou même Morand a autant d'importance, ou d'attrait, que d'y avoir vécu une histoire d'amour avec Ida. J'aime, dans Tanger, la porte de la place Tabor, les remparts, la vue de la terrasse Bab Al Bahar où nous allions le soir – mais aussi, au même titre, participant du même paysage de la même ville et redoublant le plaisir que je prends à y déambuler, le finale de *Hécate et ses chiens* ou l'ouverture de *Let it come down*.

Il y a un autre risque pour une ville. Symétrique. Ou, plutôt, contraire. Et je ne suis évidemment pas certain que, à ce risque-ci, Tanger échappe tout à fait. C'est la saturation. L'excès, justement, de mots. C'est le sentiment d'être dans un lieu trop littéraire tout à coup, trop gorgé de littérature – un lieu que la parole des écrivains, parvenue à un certain degré de concentration, cesse d'enrichir et étouffe. Ce qui fait passer d'un effet à l'autre ? de l'enrichissement à l'asphyxie ? et d'où vient qu'au lieu de se capitaliser et d'augmenter le patrimoine de la ville, les mots des écrivains se mettent à l'appauvrir, décharger son pouvoir d'attraction, l'user ? Il y a la frivolité propre à l'époque, sa promptitude à brûler ce qu'elle a trop adoré : New York ? trop vue... Katmandou ? démodée... Venise ? vieille pute sur qui la terre entière est passée – alors on passe aussi, on zappe, on joue Naples contre Venise, on mise sur Florence, on va chercher de la ville fraîche comme un libertin de la jeune chair et on se répand sur le thème : « comment peut-on, encore, imaginer une histoire d'amour place Saint-Marc !... » Et puis il y a, plus sérieuse, l'explication de Stendhal dans les *Promenades* : chaque ville dispose, dit-il, d'un nombre fini d'impressions possibles, d'émotions spécifiques, de sensations – que les écrivains y viennent en trop grand nombre, qu'ils la parcourent en trop de sens, qu'ils l'écument, et on aura le sentiment de remettre, à chaque instant, ses propres pas dans les leurs ; ou encore : une ville est comme un bel instrument – que les meilleurs instrumentistes du monde s'y succèdent, que tous les Gluck, Menuhin, Callas, Karajan, Piccinni des siècles présents et passés y viennent donner leur note et l'on ne trouvera à y émettre, après eux, que des sons répertoriés, connus. Une impression de déjà vu. Déjà entendu. Déjà lu. La même impression que lorsqu'on fait l'amour dans une chambre d'hôtel et qu'un bruissement de voix semble, à chaque mot, précéder la vôtre et la couvrir : pas un geste, pas une étreinte, qui ne semblent avoir déjà eu lieu, entre les mêmes quatre murs, sur le même ton. Le temps des villes finies a commencé.

Avec ces villes-là, pourtant, il y a une solution. Elle vaut ce qu'elle vaut et sans doute a-t-elle l'inconvénient de traiter avec désinvolture leur supposé « génie ». Mais elle ne m'a, sur la durée, jamais trahi – et je ne manquerais pas de m'en inspirer si j'écrivais ce livre à Tanger. Cette solution c'est de les prendre à contre-emploi. A rebours de leur légende. C'est de faire les parcours inverses de ceux qu'ont balisés les grands livres canoniques. Ou de faire, en tout cas, des parcours plus complexes, plus inattendus, plus pervers. Etre gai à Lisbonne. Barbare à Florence. Partouzeur à Venise. Chaste à Los Angeles. Romantique à New York. Charmeur de serpents à Moscou. Analphabète à Vienne. Solitaire à Pékin. Etre infidèle à leur cliché. Les prendre à revers de leur mythe. Eviter de lire, même, ces fameux livres-culte que le touriste avisé se croit forcé d'absorber avant de partir – l'inévitable Pessoa à Lisbonne, Dante à Florence, *Sous le volcan* à Mexico – ou, justement, Burroughs et Bowles à Tanger. Et quand il est trop tard, quand on les a déjà lus, quand on a déjà fait, trente ans plus tôt, texte en main, le pèlerinage, s'exercer, non à les oublier, mais à en prendre le contrepied et à avoir la tête ailleurs – et, ici donc, à Tanger, à la terrasse du Café de Paris ou de l'Eckmühl-Noiseux, à la table immortalisée par les fameux « trois Américains, deux hommes et une jeune femme » qui, à la première page du *Thé au Sahara*, bavardent tranquillement « à la façon des gens qui ont la vie devant eux », renoncer à les suivre ou à retrouver leurs traces dans ce qui reste de l'hôtel de France ou du Café central, et écrire une tout autre histoire : un livre, en français, sur le Mexique et sur le film.

Il faudrait essayer. Juste essayer, on verrait bien. Le principe serait simple. Un pas, un mot. Une image, un souvenir. Un visage ici, au hasard – un autre visage, là-bas, n'importe lequel : ou plutôt non, pas n'importe lequel, puisqu'il serait le fruit de l'association libre et de la mémoire. Un accouplement de sensations. Un corps à corps d'énergies. La métaphore proustienne des deux lutteurs qui s'étreignent – Elstir et Vinteuil, la sensation passée et la présente. Le procédé est facile ? C'est un procédé. Une méthode, c'est-à-dire un chemin. Marcher et écrire. Ecrire en marchant. L'axe Tanger-Mexico. Court-circuit de la « kasbah » et de la « suburbia ». Mêler les vents de Tanger au souvenir des orages sur le Pacifique : du point de vue du procédé est-ce tellement plus insensé que les rébus de celui qui nous explique, sans rien dévoiler, « comment il a écrit certains de ses livres » ? du point de vue de la technique littéraire est-il vraiment plus loufoque, quand retentit le chant du muezzin, de se laisser envahir par les voix des deux cents figurants qui, dans la scène de la pantomime, autour du feu, avaient chanté toute une nuit et dont on m'avait dit, au petit matin, qu'ils avaient emprunté aux animaux de la jungle mexicaine celles de leurs intonations qui m'avaient le plus effrayé – est-il plus loufoque, mon « muezzin aux accents de jungle mexicaine » que le « rail en mou de veau » de Raymond Roussel ? Excellent, Roussel, pour le vieux maître... Vous voyez, vieux maître, comme je me souviens des vieilles leçons... Pour le reste, c'est la leçon de John Hopkins qui ne cesse, dans ses *Carnets de Tanger*, de parler de ses voyages au Pérou avec Mc Philips – ou, surtout, de Burroughs qui, dans ses lettres à Gysin, ne peut faire un pas dans Tanger sans regretter le Mexique et le dire.

Cette toute jeune fille, par exemple, avec son tchador de gaze noire – quelle idée, un tchador qui laisse tout deviner ! les lèvres, les yeux bien fendus, le modelé des joues, les petites dents ! C'est elle qui me rappellera Marianne.

Cette autre fille à tchador, presque plus coquine, qui vient de me frôler : Julie me demandant, la nuit de la fessée, « est-ce qu'on verra aussi mon visage » et moi lui répondant en citant le mot d'Hitchcock : « il faut filmer les visages comme des culs » puis en le renversant : « les culs comme des visages. »

L'Anglaise de tout à l'heure, qui m'a agacé, je me le reproche – car c'est elle, si belle, qui m'aurait permis d'évoquer A. ramassant à la cantine, en cachette, des carcasses de poulet, des têtes de crevette et de poisson, et profitant ensuite, dans la voiture du retour, de ce que je somnolais pour, à travers la vitre, les jeter aux chiens faméliques du village.

Ce vendeur d'eau, avec son outre sur l'épaule, son port fier, sa façon de héler le chaland comme s'il l'engueulait : toute la tête de Kalfon, sa voix – je l'avais choisi à cause de sa voix ; je déteste ma voix et j'ai toujours pensé, comme Bresson, que c'est la voix qui, pourtant, nous en dit le plus long sur les gens.

Ce gamin, insolent, qui me suit depuis un moment, cicatrice à la pommette : Xavier, bien entendu, le matin de son arrivée. Il faudrait un vrai portrait de Xavier. Je disais, dans mon journal : « il a déjà l'air de ces Européens du Mexique qui sont là depuis toujours, flottants, entre deux tequilas – prêts à attraper, exprès, toutes les fièvres et maladies du pays. » Je dirais aujourd'hui, et la fiction partirait de là : « c'est Port ou Tunner, les héros de Bowles, qui, à peine débarqués à Tanger, prennent la couleur de la pierre où ils se sont posés – c'est un de ces jeunes Américains de la génération perdue qui débarquent au Maroc, libres, légers, et prennent le chemin du désert comme si c'était la porte du paradis. » J'ai dit que j'allais oublier Bowles, je sais. Mais je l'oublie, vieux maître, je l'oublie. Ce n'est pas de lui que je parle mais de Xavier, courant après son mirage, exténué – c'est comme cela qu'il faut voyager.

Car qu'est-ce qu'un voyage ? Qu'est-ce qui fait la différence entre un voyageur et un touriste ? Réponse de Bowles quand ses personnages arrivent à Tanger : le voyageur a le temps, il prend le temps – « toujours étranger à ses lieux de séjour successifs, il se déplace lentement, sur des périodes de plusieurs années, d'une contrée de la terre à l'autre. » Réponse de Morand – il faudrait vérifier si le mot ne date pas, justement, de sa période tangéroise : « le vrai luxe, que personne ne pense plus à s'offrir, c'est de prendre son temps. » Réponse de Handke, oui, Peter Handke – je n'ai jamais cru, moi, qu'il fût un grand écrivain ; mais « eux » le croient, n'est-ce pas ? ils n'ont cessé de le célébrer ? or il prend, sur la Serbie, des positions infâmes – et les voilà tout gênés, tout silencieux, quand il donne le énième tome du livre qu'ils encensent depuis trente ans ; de deux choses l'une : ou bien il était un grand écrivain et il le reste après la Serbie ; ou bien il ne l'était pas, et c'est avant qu'il fallait s'en apercevoir ; moi, en tout cas, je le cite ; je mets mon point d'honneur à citer ce qu'il dit sur le voyage ; dommage que je ne puisse pas citer aussi Besson dont le dernier roman, me dit-on, suscite le même embarras à Paris ; dieu sait si je déteste ce qu'il dit, comme Handke, sur la Serbie ; mais je déteste tout autant – tout autant ? oui, tout autant car c'est, au fond, la même chose – la haine de la pensée, l'hostilité contre l'esprit, je déteste la jubilation des imbéciles chaque fois qu'ils peuvent se trouver une raison de haïr un écrivain ; ah ! la curée contre les esprits ! cette chasse aux têtes et aux livres ! cette façon, comme dit Bernhard, de nous faire tous, sous couvert de politique, rentrer la tête dans les épaules ! ce qui distingue, dit Handke, le touriste du voyageur c'est que le premier se hâte, qu'il va droit au cœur des villes – alors que l'autre prend son temps, s'attarde aux seuils et aux abords, il est l'homme des passages, des commencements interminables, il prendrait tout le temps de ne pas visiter Tanger.

Cette lumière qui finit de briller, sans ombres mais très douce, sur les ors du consulat d'Espagne : exactement celle que je cherchais, pour ne pas brûler le visage de Karl, dans la scène finale, au bord de l'océan.

L'autre lumière, dans un moment, quand j'arriverai près du marché – plus sourde encore, presque voilée, une petite brume mate qui étouffe les couleurs : l'image même d'un matin mexicain.

L'autre lumière encore, plus tard, quand je distinguerai la mer et que le soleil aura fini de passer l'horizon : je ne l'ai connue qu'à Tanger, cette lumière étrangement contrastée qui continue d'éclairer les visages alors que les choses, les niches des commerçants, les animaux sont, eux, entrés dans la pénombre – c'est elle que je cherchais et que j'ai attendue en vain le jour du départ de l'héroïne, sur la plage. C'était, comme aujourd'hui, la fin du jour. On avait perdu du temps à monter la tour et à attendre cette lumière qui n'existe qu'à Tanger. Il fallait se presser maintenant, aller plus vite que l'ombre qui venait. Vous n'y arriverez pas, disait Delon. Il faisait ce que je lui demandais – longue procession religieuse, silence, silhouettes blanches. Mais je voyais qu'il n'y croyait pas. Et moi qui serrais les dents. Oui, bien sûr, on y arrivera... Non, voyons, nous ne serons pas vaincus par la lumière... Et c'est, en effet, l'une de mes scènes préférées avec cette clarté d'aube qui est celle du soir à Tanger – mouettes un peu plus basses, nuages qui arrivent de l'océan, je disais bien qu'on attendait l'orage. C'est l'autre ivresse du cinéma. Ce triomphe de la volonté. Cette mégalomanie nécessaire. Le seul moment d'une vie qui sollicite les deux cordes à la fois – l'art et le pouvoir, le goût des mots et celui des choses, la tentation de la solitude et celle de l'affairement. D'habitude, quand un écrivain s'affaire, c'est autant de moins pour son œuvre ; le temps donné au monde est un temps volé aux livres ; s'il va à l'assemblée, c'est parce qu'il ne peut pas écrire – ni faire l'amour – toute la journée : et quel sentiment de perte, alors ! quelle hémorragie de sens et de vie ! Là, en revanche, tout concourt. Tout conspire à la même harmonie. Il n'est pas une minute, un mot, un geste, qui ne soient, par nature, à deux faces : commerce sans doute – mais au service de l'œuvre qui se fait. Si Barrès vivait aujourd'hui, il ferait du cinéma l'après-midi.

Plus tard encore, chez Sophia, juste avant d'arriver à Dar Baroud. Imaginons que j'aie le temps – bien entendu, pas ce soir ! – de m'arrêter un instant chez Sophia. Je commanderais un thé. Je rêverais devant les portraits noir et blanc, style

Harcourt, des belles des années quarante et cinquante. Et – procédé toujours, association d'idées – je penserais à celle qui, dans mon esprit, en est, avec Ava Gardner, Veronika Lake et quelques autres, le vivant et impérissable modèle. Arrivée, donc, de Bacall. Beauté et générosité de Bacall. Et puis, surtout, Bacall amoureuse de Delon, vraiment amoureuse, comme seule peut l'être une toute jeune fille, une débutante. Les gens ont l'air de croire que je blague quand je dis ça. C'est qu'ils ne connaissent pas l'impérieuse jeunesse du grand âge. Ils ne savent pas que le problème de la vieillesse n'est pas, comme disait Wilde, qu'on devient vieux mais qu'on reste jeune. Ils n'ont jamais vu, comme moi, le spectacle d'une vieille dame amoureuse : M.R., un soir d'août, dans Paris désert, attablée à la terrasse du Flore, avec un écrivain célèbre, trente ans de moins qu'elle – je comprends à leur gêne, mais aussi à leur sérénité, qu'elle l'aime, qu'il l'aime, qu'ils sont peut-être encore amants, qu'ils ont en tout cas leur vie secrète; et puis J. D., un soir, dans sa suite du Richemond, peignoir d'éponge blanc entrouvert, naissance des seins, jambes pudiquement ramenées sous les fesses, jolis genoux, peau fine, presque transparente, la tavelure des mains savamment dissimulée dans le vieil or des coussins, un voile sur les pupilles mais qui rend le regard plus rêveur, ce besoin de me dire qu'elle a, depuis longtemps, tué le désir en elle – et, en moi, pourquoi ne pas l'avouer ? une poussée de désir brutal pour celle qui fut l'une des plus belles actrices françaises des années trente... « Où est Alain ? » demande Bacall, chaque matin, en arrivant – et Alain, comme dans une pièce de Goldoni, l'a entendue venir et a couru se cacher. « Où est Alain, répète-t-elle, le jour où je la fais danser sur l'air de " Night and day ", vous m'avez dit que je dansais pour Alain et je ne vois pas Alain ? » – et Alain, en effet, se repose dans sa caravane. « Où est Alain, insiste-t-elle : vous me dites que c'est le point de vue d'Alain et je ne vois toujours pas Alain » – n'a-t-elle réellement pas compris ce que j'entendais par « point de vue » ou cherche-t-elle, comme toutes les amoureuses, une occasion supplémentaire de prononcer le nom chéri ?

Et puis, au terme de ma promenade enfin, à la gare, dans la cohue, dans cette cour des miracles où il faudra jouer des coudes entre les voyageurs, les gens qui attendent les voyageurs, les mendiants, les estropiés, les chauffeurs de taxi, les colis, les ballots mal ficelés qui s'amoncellent et s'ouvrent à moitié, les cages à poules, les malades enveloppés dans leur mauvais manteau, les curieux qui viennent juste là pour passer le temps, dans cette grande masse sombre qui semble piétiner, ou piaffer, ou tourner sur elle-même comme une toupie géante et informe, j'aurai, si je me dépêche, encore un moment pour réfléchir ; et là, un peu à l'écart de la bousculade, je pourrai m'exercer à évoquer l'autre cohue, celle des critiques ou soi-disant critiques qui m'avaient condamné avant de voir l'objet : tous le même jour, le mot était passé, le ricanement, la huée, les fausses dépêches d'agence à Berlin, les rangs serrés de photographes comme un peloton d'exécution, les journalistes qui disent qu'on leur a interdit de voir le film dans la page même où ils le descendent, cette affaire de directeurs de journaux, est-ce ma faute, moi, si j'ai deux amis, deux seulement, messieurs les jurés, qui, à force, la vie aidant, ont fini par diriger des journaux ? Le crime était prémédité. Il était presque parfait. En deux jours tout était réglé. J'étais sonné, piétiné, comme je le serais à la gare si je me laissais bousculer.

Bon. Je m'emballe. D'abord le rendez-vous n'est pas à la gare mais à l'hôtel. Et ensuite je me trompe de gare. Je suis en train de raconter Calcutta. Ou Bombay. Et pas la gentille gare de Tanger avec ses deux voies, ses néons, son bâtiment moderne sur le port – c'est fou ce que cette partie de la ville a changé. Mais enfin... Je le vois, ce livre. Je le tiens. J'ai son souffle et, donc, je le tiens. Sauf... Oui sauf que ce type de livre n'a de sens que si l'on s'engage à tout dire, vraiment tout – et c'est là, bien sûr, que le problème commence.

La scène des ombres, par exemple. Puis-je tout dire sur la scène des ombres ?

Delon : puis-je tout dire sur Delon ? ses accès de fureur ? ses folies ?

L'échec, encore. Je me suis donné tant de mal, à l'époque, pour me fabriquer une attitude face à l'échec. Vais-je me découvrir, là encore ? Tout balancer ? Vais-je laisser passer dans les mots ce que j'ai tenté de cacher sur mon visage ? Vais-je me montrer en train de me composer, comme dans l'adolescence, une figure devant la glace, un regard, une contenance – reniflant jusqu'à mon haleine de peur qu'elle ne sente, elle aussi, l'échec ? Aurai-je le cœur de raconter les insomnies ? les questions, toujours les mêmes, qui tournent et retournent dans la tête : « s'il y a eu une erreur... un faux pas... et, si oui, à quel moment... » ? Les lectures, toujours les mêmes : vies d'écrivains déchus, ou vieillis, ou qui ont fait le mauvais écart et ne s'en sont jamais remis – jusqu'à Morand, le pétainiste Morand, prince des écrivains avant 40, maudit après 44, sur lequel je me suis mis, avec une voracité terrifiante, à accumuler les informations, les détails ? Ce qui me fascinait, au fond, chez le vieux rocker de tout à l'heure, c'était son maniérisme extrême, le contrôle du moindre de ses gestes et puis, en même temps, dans sa chemise satinée, son pantalon froncé aux fesses, ce côté prêt à tomber, instable, sur le départ : cette façon d'avancer précautionneusement le pied, comme on tâte, avant d'y plonger, une eau trop froide – mais lui ce n'est pas l'eau, c'est la tombe... Aurai-je le cœur de raconter, encore, le départ à Tanger ? Et puis ensuite, à Tanger, les grandes marches pour bien m'épuiser, m'assommer la tête et le corps – les nuits entières à errer, les premières semaines, autour d'un Café central qui n'avait plus que la couleur, et l'odeur, de ma tristesse ?

La cabale. Qu'il y ait eu cabale, c'est sûr. Mais est-ce que je peux dire aussi, sans décevoir mes amis, qu'on ne peut pas non plus affirmer, comme ça, sans autre forme de procès, « il y a eu cabale » ? est-ce que je peux dire que, dans ce genre d'aventure, on n'est jamais vraiment victime et toujours un peu coupable ? est-ce que j'oserai poser le principe d'un « socratisme esthétique » selon lequel nul, en ces affaires, n'est jamais battu involontairement : toujours, au principe, une erreur de calcul; toujours, au commencement, une faute de carre, une mauvaise appréciation du rapport des forces, une sous-estimation de l'adversaire, une surestimation de sa propre puissance, un péché d'orgueil, un péché tout court ? est-ce que j'oserai écrire qu'on ne peut pas passer son temps, comme je le fais, à répéter que tout est guerre, rapport de forces, etc. – et geindre, si le rapport vous devient défavorable, qu'on est l'innocente proie d'un noir et injuste complot ?

La cabale encore. Ecrirai-je qu'une part de moi a aimé ce sort qui m'était fait ? Avouerai-je que je l'ai préféré à un échec banal et que, dans les pires moments, quand je lisais que ce film avait atteint des sommets d'indignité, cette part de moi bénissait les critiques pour le cadeau qu'ils me faisaient : « il est rare, me disais-je, d'essuyer pareille offensive ; il est rare de se sentir si parfaitement détesté » ? Aurai-je le courage de dire aux amis qui m'ont défendu : « merci de m'avoir défendu ; merci de votre amitié ; mais un échec comme celui-là c'est aussi un privilège, il ne fallait pas l'arrêter à mi-chemin, l'endiguer, l'amoindrir » ? Aurai-je le courage de répéter, après Hugo, qu'il y a une forme de reconnaissance dans la huée, un applaudissement fauve ? Et aurai-je le courage de dire, enfin, que je n'ai jamais eu la force – ou la faiblesse – de détester ceux qui me détestent, voire de leur donner tout à fait tort ? Ni aigreur ni ressentiment. Même pas de vrai désir de représailles. Je connais la rage. La colère. Rarement la haine – qui est la rage, et la colère, des imbéciles. Récemment encore, cette polémique avec Rinaldi, dont s'est régalée la maison de la culture : une belle empoignade littéraire ! un bon combat de coqs ! rien n'amuse plus la basse-cour, je le sais bien, que d'applaudir coq numéro 1 rabattant le caquet à coq numéro 2 (surtout quand coq numéro 2 s'est arrangé, en vingt ans, pour dresser contre lui l'essentiel du poulailler) ! s'ils savaient comme je me suis forcé ! s'ils savaient que, tandis que j'affûtais mes arguments et tentais de les rendre le plus cruels possible, une part de moi renâclait, trouvait mille mérites à l'adversaire et se demandait ce qu'il y avait de vrai dans l'effrayant portrait qu'il venait de brosser et auquel je répondais...

La cabale, toujours : ai-je non seulement le courage mais le droit de dire aux acteurs, techniciens, producteurs et autres coproducteurs que j'ai embarqués dans la galère et qui m'y ont suivi avec tant de confiance et d'innocence : « je savais qu'il en irait ainsi ; dès le premier jour, je le savais ; au Mexique déjà, quand retombait l'ivresse du tournage et que je me retrouvais seul en face de ma scène du lendemain, je savais que j'avais rendez-vous avec le grand échec » ? ai-je le droit de dire qu'il y a des moments comme ça dans la vie, bizarres, somnambuliques : on n'est certain de rien, bien sûr ; une part de soi continue de se dire : « un miracle est toujours possible, un coup de dés heureux » ; alors on lance les dés, on les relance, on dépense une énergie folle à multiplier les combinaisons, brouiller les pistes, les simplifier ; mais l'essentiel de vous-même, la part la plus obscure en même temps que la plus raisonnable, sait que l'on n'embrouille pas si facilement les dieux et que ce big bang sera un bide bang ? ai-je le droit de dire cela ? et si je le dis me croira-t-on ? et si on ne me croit pas...

C'est là que les problèmes commencent, oui. Car, pour que l'on me croie, il faudra accepter d'aller au plus profond – non de cette histoire, mais de mon désir. Il faudra se résoudre à tout mettre sur la table, réellement tout – jusques, et y compris, l'image que l'auteur avait de soi. Or c'est, depuis que j'écris, ce que je fais le moins volontiers.

3

Incapable de parler de soi ? Ce n'est pas, précisément, ma réputation. Et c'est même, quand j'y pense, l'inverse qu'ils me reprochent : exhibitionnisme, narcissisme, le type qui dit toujours « moi moi moi », l'allumé des médias et donc de l'autopromo, le roi des cabots, l'égocentrique absolu, le spécialiste du tirage de couverture à soi, le directeur de la règle du je, le mégalomane qui ne va en Bosnie que pour s'exposer sous les sunlights – j'en passe. Or quelle est la réalité ? Je ne vais pas plaider, me justifier, les convaincre – mais quelle est, dans mes livres, la réalité ?

J'ai écrit deux romans, mais où le moins que l'on puisse dire est que je ne me suis guère mis en scène – Benjamin... Baudelaire... le monologue de sa logeuse à Bruxelles... les lettres imaginaires de la veuve Aupick... : dans le genre étalage de l'ego, on a fait mieux.

Je dis « je » dans mes essais. Mais c'est un faux « je », un « je » de pur jeu, c'est un « je » qui, pour les amateurs de « je » n'en est sûrement pas un – et c'est même le procès que je me ferais si j'étais à leur place mais, grâce au ciel, je n'y suis pas : « vous êtes un imposteur, votre " je " est un " je " truqué, c'est un " je " qui ne dit rien de vous et où, contrairement à ce que vous clamiez à l'époque, vous ne vous mettez nullement en péril. »

Et, quant au reste, quant aux innombrables textes que j'ai pu donner, ici ou là, sur tous les sujets imaginables – il y en a un, de sujet, que j'ai toujours pris soin d'éviter et ce sujet c'est encore moi : des bribes de confidences dans mes entretiens sur les hommes et les femmes avec Françoise ; d'autres bribes dans *Le Lys* parce que le genre s'y prêtait et qu'il fallait faire taire la saloperie de rumeur qui, à mon treizième voyage, continuait de dire : « BHL et ses vingt-quatre heures de tourisme en Bosnie » ; un bout d'aveu par-ci ; un début de souvenir par-là, au détour d'un entretien – et encore ! seulement si le journaliste est étranger ! parce qu'il n'y a qu'à l'étranger que, ne connaissant généralement pas la langue, je renonce à mon habitude de tout réécrire et contrôler.

Mais, à ces exceptions près, pas un mot. Bétonnage. Verrouillage. « Tu es drôle, m'a dit un jour Sollers. Tu es, de nous tous, l'un de ceux qui a la vie la plus variée et, bizarrement, tu n'en fais rien... » Il avait raison. Comme d'habitude, il avait raison. Je suis capable d'aller me mettre – bien ou mal, c'est une autre affaire – dans la tête de Baudelaire. Je peux rapporter ce qui se passe, en pleine Collaboration, dans la cervelle d'une jeune et jolie bourgeoise parisienne. Mais quant à me raconter moi, quant à dire un deuil, un premier amour ou la guerre du Bangla-Desh, quant à faire de la littérature avec ce qui se passe ici, à Tanger, depuis trois semaines, ou même avec ce qui s'y est passé voici trente ans, juste trente ans, Ida était si belle, et elle était encore si jeune, je l'entends comme si c'était hier, debout, nue, dans la chambre du Minzah, appuyée contre le montant du grand miroir avec lequel nous venions de jouer : « tu vas en avoir assez de moi ; je connais les hommes, tu vas te lasser ; est-ce que cela te plairait si, pour toi, rien que pour toi... », quant à ressusciter cela et puiser dans ces tendres stocks pour en faire de la littérature, il y a un pas que je n'ai, pour l'heure, pas su franchir – alors le film ! mes vraies raisons ! ma vraie douleur ! pourquoi ce qui fait le plus mal ce n'est pas l'échec lui-même mais tout ce qui va avec – petites et grandes tristesses, humbles et vrais chagrins : les larmes contenues de D., les doutes de Jean-Paul et de Gilles, le regard de mon fils Antonin quand il rentre de Berlin, tout content, et que je lui apprends que la presse parle de « fiasco », l'absence de mon père, la pluie sur la petite tombe le lendemain de la sortie et là, sous la pluie, la conversation qui continue ; je ne me vois pas m'attarder sur tout ça, non – et si j'ai une infirmité c'est, non la propension, mais la quasi-incapacité à parler de ce genre de choses et, donc, de moi.

Il y a des écrivains qui le font très bien.

Il y a des écrivains, comme Djian, qui le font même naturellement. Une rencontre. Un amour. Une lecture. Et hop ! L'affaire est dans le sac ! L'affect est dans le livre ! Je connais des gens dont on sent qu'ils mentent comme ils respirent. Lui, c'est l'inverse. Il écrit comme il respire. Il vit, et puis il écrit. Non qu'il faille négliger, bien sûr, l'éventuel travail de retraitement de l'information. Mais le système principal est bien là. Une raffinerie permanente. Une usine de recyclage immédiat qui tourne à plein régime. Tout se passe comme si la nature l'avait équipé d'un transformateur instantané de vie en littérature ou encore d'un modem branché sur l'inconscient et qui aboutirait directement sur les presses de son éditeur. Quel privilège !

Il y a Le Clézio. Aucun rapport avec Djian, Le Clézio. Pointure nettement au-dessus. Mais tout de même... Ce côté massif... Cet air de statue de l'île de Pâques... Cette façon de regarder le soleil et de décrire le soleil, d'observer une théorie de fourmis et de raconter la théorie de fourmis – ce ton pour nous dire « je fais de la littérature avec des choses très simples, un rai de lumière, le miaulement des arbres dans la nuit, une pierre rouge de l'île Maurice, un filet d'eau dans les vacoas, mon grand-père courant après un trésor et moi sur les traces de mon grand-père »... Comment ça marche un Le Clézio ? Est-ce que ça rit ? Est-ce que ça désire ? Qu'est-ce que ça dit aux femmes, une fois qu'il a été question des quatre éléments et peut-être, maintenant, du cinquième ? Je l'observais, l'autre soir, à la télé. Cette immédiateté. Ce sourire sans mémoire. Ce plain-pied avec lui-même et, donc, avec le monde – ou l'inverse. Et puis ce léger bégaiement, comme Modiano – serait-ce une spécialité NRF là aussi ? leur botte secrète ? offriraient-ils à leurs auteurs des cours accélérés de bégaiement avec professeurs certifiés, travaux pratiques en vidéo, révision à la veille de la sortie des livres – le tout dans les caves de la Maison, là où dorment déjà les archives compromettantes ? Parler de soi en bégayant : la martingale gagnante, la bonne combinaison – ce n'est pas à moi qu'une telle chance arriverait...

Il y a Régis. Il aime tellement ça, lui, Régis, parler de lui, qu'il le fait une fois tous les quatre livres, j'ai compté, c'est comme une cure imposée, ou une récompense qu'il s'offrirait – en sorte qu'il a réalisé le tour de force de raconter trois fois la même vie, de publier trois fois le même livre qui est le livre des mémoires de sa vie. Est-ce qu'on en connaît, dans l'histoire de la littérature, des types qui ont réussi à publier trois fois leurs mémoires ? C'est comme une peau de chagrin, une vie. Ça s'use. Ça se rétracte. Ça finit, à force d'être tricoté, par se racornir ou, au contraire, s'effilocher. Eh bien lui, non. Il déjoue la loi de la peau de chagrin. Il dilate à l'infini. Et le plus drôle c'est qu'il n'y ait personne, non seulement pour y trouver à redire, mais pour s'en aviser. Est-ce la lobotomie générale de l'époque ? le fait que personne ne lise plus personne ? est-ce ce côté « sprint final vers l'an 2000, chacun dans son couloir, on ne regarde ni à droite ni à gauche » ? ou est-ce son plaisir qui fait tellement plaisir à voir qu'il en devient communicatif et que tout le monde, finalement, est content : l'éditeur, les journalistes, les amateurs de littérature exotique, les lecteurs bourgeois et même les autres, les grincheux, son vieux public de vieux militants – « c'est sûr qu'on le préfère en ancien combattant reprenant du service auprès du sub-commandante Marcos ; mais on le prend comme il est ; on garde ceci avec cela, le bébé avec l'eau du bain – ça y est, Régis a encore fait des siennes, mais ça ne fait rien, on ne va faire semblant de rien, il a l'air si content ! et nous, de le voir si content, ça nous rend également très très contents... » ?

Intéressant, cette affaire de bégaiement. Bègue, Modiano. Bègue, Le Clézio. Bègue, évidemment, Régis Debray. Les gens n'imaginent pas l'avantage, pour un écrivain, d'être un peu bègue et ils ne savent pas la poisse que c'est, à l'inverse, de passer pour beau parleur. « Comme vous parlez bien, me disent les imbéciles ou (mais cela revient souvent au même) les gens qui veulent me flatter. Je vous ai vu à la télé, c'est formidable ce que vous parlez bien. » Et je sais, moi, que c'est l'anticompliment par excellence, je sais que c'est une faiblesse, un handicap – je sais qu'un type qui a la réputation de « bien parler » est immédiatement suspecté d'être en train de vous embrigader, de vous embobiner, d'abuser de votre crédulité, de vous manipuler. Ce qui s'énonce mal se pense sincèrement, voilà ce que croit l'époque. Ça bafouille, ça cafouille – c'est la preuve que ce n'est pas du préparé, donc du chiqué. Venez, au contraire, avec un discours parfait, ayez l'air du type que rien ne démonte et qui a réponse à tout – réputation assurée de bonimenteur ; image du malin en train de vous faire, sinon les poches, du moins le cœur et la cervelle ; et toutes les tarentules de reprendre en chœur, comme la « Chinoise » de Godard, « j'me méfie, moi, j'me méfie ». C'est le problème de Kouchner. C'est le mien. Je l'ai compris tout de suite, d'ailleurs. Mais, déjà trop tard. C'était en 1977. Le fameux « Apostrophes » qui lança l'affaire des « nouveaux philosophes ». J'avais un trac fou. Je n'étais même pas sûr, avant l'épreuve, d'être capable d'aligner trois mots sensés. Alors, pour vaincre le trac, j'en fais trop et me lance dans une galopade verbale qui passe pour de l'aisance alors qu'à côté de moi, mon camarade André fait le chemin inverse : les yeux qui fixent la pointe des souliers, de grands mouvements de cheveux maladroits, la gorge nouée par une émotion qui passe pour l'expression d'une indignation noble et sans mots – et puis un coup de colère final, probablement dirigé contre l'émission, mais qui paraît une insurrection magnifique. Là aussi, les jeux sont faits. Les images figées pour longtemps. J'aurai beau essayer, par la suite, de rectifier. J'aurai beau essayer d'injecter dans mon jeu un peu de cette maladresse bénie. C'est la situation inverse de celle de l'archevêque d'Agde, le prêtre cabotin du *Rouge et le Noir* qui, devant sa glace, face à Julien, s'exerce au signe de croix et à la bénédiction : « cela va-t-il, mon fils ? mon prêche sera-t-il bon ? » Mon problème, moi, sera de m'entraîner à mal prêcher. Mon souci, ma hantise, sera de trouver des trucs pour mieux bafouiller. Mais, d'abord, ça ne va pas de soi. Ce n'est pas si facile de bafouiller. On peut toujours se dire : « cette fois, tu vas perdre pied, tu vas jouer la gêne et la pudeur, tu vas même essayer de te taire et de susciter de longs moments de malaise » – c'est plus fort que vous, toujours la maudite logorrhée qui vous reprend, vous ne pouvez vaincre la peur qu'en laissant s'emballer la mécanique. Et puis, à supposer même qu'on y parvienne, l'image est là, elle dure et c'est elle, à la fin, qui l'emporte : il m'est arrivé, bien sûr, d'être nul ; il m'est arrivé, non seulement de bredouiller, mais de me déconsidérer ; il m'est arrivé surtout, plus souvent qu'à mon tour, d'être mauvais naturellement, sans l'avoir fait exprès ; mais si grande est l'inertie des images, si grande la paresse collective face au cliché que l'époque retient de chacun d'entre nous, que c'est comme l'histoire de la « chemise blanche » que les gens continuent de voir, je dis bien voir, même quand je viens en T-shirt noir – l'étiquette du beau parleur, sûr de lui, dominateur, recouvre le spectacle du type qui vient d'être mis KO debout et on me félicite encore, le lendemain, « comme vous avez été brillant, comme vous étiez éloquent, hier soir, à la télé ».

Bien penser à noter cela : la paresse, catégorie fondamentale de l'époque. Une fois qu'elle a enregistré une image, elle n'en veut surtout pas démordre ; une fois qu'elle a entendu un son, c'est le même son qu'elle veut entendre, encore et toujours, à l'infini. La loi du temps ce n'est pas le zapping, mais la redite ; l'amnésie, mais l'hypermnésie ; c'est cette stupeur de l'entendement, cet engorgement de la faculté d'oubli que Nietzsche appelait le « ressentiment » et dont il reviendra à ce temps d'avoir décliné les dernières variantes. Pourquoi ont-ils changé le muezzin, après tout ? Malade, vraiment ? Mort ? Hum ! Hypothèse, plus rigolote, du limogeage pour faute grave ou défaut de zèle. Me revient qu'il crachotait dans son micro, ce matin. Et qu'hier soir, à l'heure de la dernière prière, il avait l'air bêtement haletant. C'est l'histoire, que raconte Cocteau, du pape qui a le hoquet. La presse en est pleine le lendemain. « Impossible ! Inconvenant ! Le représentant de Dieu sur la terre ne peut être affecté d'une infirmité aussi ridicule ! Et, puisque la peur ôte le hoquet, pourquoi Dieu ne lui envoie-t-il pas le diable pour lui faire peur ? » Le muezzin c'est pareil. Il est la voix du Prophète. Sa grande et grosse voix. Alors, il a tous les droits, j'en suis sûr. Il a celui d'être malade, mourant, d'être un squelette vivant, un fantôme. Mais pas celui de bredouiller, lui. Ni de bêtement suffoquer dans son micro. Ou alors curie des chefs muezzins qui, quelque part dans Tanger, déclenche la curée : « viré, le sans-voix ! révoqué, le bêtement aphone ! » Je suis sûr qu'il y a, quelque part entre le Val-Fleuri et le Souani, un vieux muezzin qui se terre parce qu'il s'est fait bêtement remercier ! Le temps du ressentiment ? C'est ce qu'a compris Sollers, dans le fond. Son obsession du mouvement. Sa volonté constante d'être au-delà du maudit cliché, de le brusquer. Ce goût d'avoir toujours un temps d'avance, non tant sur l'époque (facile !), mais sur soi. Quelle fatigue ça a dû être ! Quelle détresse, qui sait ? Ecrire *Paradis*, ou *Femmes*, et en être là, si longtemps...

Bref, parler de soi... Ce n'est pas que je sois contre ! Peut-être même que ça me plairait, moi aussi, de casser le carcan, de tordre le cou à mes pudeurs et de raconter, comme eux tous, mes souvenirs d'enfance et mes émois d'adolescent, mon premier voyage au Mexique et ma haine des animaux, « je t'ai tuer » au dentifrice sur la glace au-dessus du lavabo, mes divorces, mes amours, celles qui croyaient au sexe et celles qui n'y croyaient pas, les jouisseuses, les fausses frigides, les saintes et les demi-tarifées, le suicide manqué de V., une femme aimée à Fleury-Mérogis, le gang de Bagneux, vivre de trafic d'alcool entre Goa et Bombay, le harem dispersé, mon rapport à l'argent, les bordels de Yaoundé, la guerre, mon retour au judaïsme et mon goût persistant de l'hérésie, une overdose d'opium à Calcutta, le secret du général Divjak, celui du Père Boyer-Chamard, ma conversation avec J.-L. au lendemain du « grand échec », la vision à Genève, mon testament d'Orphée. J'adorerais dire Tanger, il y a trente ans. J'adorerais faire ce roman sur Ida qui serait, aussi, une façon de dire pourquoi j'y suis, aujourd'hui, revenu : qu'est-ce qui se passe dans la tête d'une femme qui se conduit ainsi ? veut-elle me faire, ou se faire, plaisir ? se dit-elle : « je fais comme les hommes, ils prennent les femmes – je les prends à mon tour comme ils prennent, eux, les femmes » ? n'avait-elle pas peur d'être identifiée ? dénoncée ? la fille de l'industriel X, la femme du notable Y, l'une des figures les plus en vue de la bourgeoisie casablancaise, s'offrir ainsi, se donner en spectacle – et le faire avec cette violence, cette insolence, cette ironie ! Car il y avait aussi les jours où elle était très gaie et nous faisait jouer, moi au maquereau, elle à la strip-teaseuse – tarif simple quand elle dansait et double quand elle décidait (Ida avait ses pointes de vulgarité !) de « ne rien se refuser ». On gardait l'argent. Elle y tenait. Elle voulait qu'on aille, aussitôt, dîner à leur santé. Tout cela à visage découvert, bien entendu – au risque d'être reconnue : était-elle si déchaînée qu'elle s'en moquait ?

Il y avait les nuits les plus longues, sur la plage, après le cap Spartel : « il n'y a pas d'hommes à Tanger, disait-elle, alors tant pis, c'est toi, ce soir, qui vas t'amuser » – et elle arrivait avec des « amies », draguées au yacht-club ou au café Hafah. Parfois c'était une seule pour commencer et les autres qui, au fil de la nuit, la rejoignaient : que leur avait-elle dit ? jusqu'à quel point le deal était-il clair ? Les connaissait-elle avant ? les reverrait-elle après ? me réservait-elle ces jeux étranges ou en était-elle plus coutumière ? Je me souviens de certaines nuits où la lune, le reflet des lampes à huile sur le sable, mais aussi la violence animale de son désir, lui modelaient des visages différents selon les heures : il y avait les autres femmes et il y avait les autres elle ; il y avait « les amies » et il y avait « les Ida ». Je me souviens des grands draps qu'elle faisait tendre, un peu rêches, pourquoi si rêches ? et qui, à cause de l'obscurité, semblaient du crêpe noir. Je me souviens de rires moqueurs et de soupirs, de mises en scène maladroites et d'extases convenues. Je me souviens de femmes qui s'accrochaient à leur plaisir avec une avidité si farouche qu'elles en devenaient obscènes. Je me souviens de femmes sérieuses, concentrées, appliquées. Et moi qui rentrais, au petit matin, honteux, la tête lourde, mélangeant tous ces visages dans un entrecroisement de traits et ne sachant ce qui me dégoûtait le plus de l'odeur de la plage à l'aube, avec les relents de poissons ramenés par les premiers pêcheurs et ceux du faux pique-nique qu'elle avait fait dresser, la veille, par ses « chaouchs » – ou bien de ma propre chair, de son goût de sueur parfumée. Il y a deux ans, Ida s'est pendue.

Ça me ferait du bien de m'autoriser, une fois au moins, ce type de récits. Oh ! pas nécessairement scabreux, d'ailleurs. Mais sincères. Vécus. Des récits qui ne seraient qu'à moi et composeraient, à force, une sorte d'autoportrait. Mes souvenirs d'éditeur par exemple. Ou d'écrivain. Ou encore mes autres vies, celles dont je ne parle pas, même à mes plus proches amis – j'aurais bien trop peur de les choquer, de brouiller encore plus les pistes, j'ai toujours cru que je ne pouvais le faire sans prendre le risque d'exploser ; mais si j'essayais après tout ? si je décidais de me dévoiler davantage et d'« abattre mon jeu » ? si je tentais, par exemple, le grand roman de l'argent que m'inspirerait, à elle seule, la chronique de l'année 85 ? J'ai tant d'éléments, quand j'y pense... tant de notes accumulées... Ce journal dicté sur le répondeur de Joëlle, depuis vingt ans, tous les soirs, où que je sois, Paris, New York, Pékin, Tombouctou ou Tanger – et Joëlle, avec son petit visage boudeur, qui, chaque matin, tape ce que j'ai dicté la veille et qui, chaque 1er janvier, m'apporte le dossier de l'année, scellé. Elle ne m'en a jamais dit un mot. Jamais. Je peux lui avoir dicté la veille les choses les plus bizarres. Elle peut avoir trouvé, sur le répondeur, de quoi faire exploser la moitié de la maison de la culture. Je peux aussi, en déjeunant, lui répéter une anecdote dont j'ai oublié qu'elle la connaît puisque je l'ai déposée, la veille, sur le répondeur et qu'elle vient donc de la transcrire. Elle ne fera semblant de rien. Elle ne cillera ni ne sursautera. Elle ne me dira ni : « arrêtez, vous vous répétez, j'ai déjà tapé, cette nuit, votre histoire de Maxwell à Londres donnant cinq rendez-vous à la fois, dans cinq pièces différentes, et les honorant tous en même temps », ni : « votre récit de la dernière heure de Danilo K., si cette page tombait en de mauvaises mains, vous enverrait, vous et le professeur S., en correctionnelle ». Il y a la J. qui déjeune. Il y a la J. qui tape. Et entre les deux – tel est notre pacte – une quasi-hétéronymie qui serait, à elle seule, justiciable d'un petit récit.

Ce serait bien d'utiliser tout ça. Ce serait drôle. Inattendu. Après tant de masques et de mensonges, de poses et de pudeurs, après tant de livres – et d'années – passés à me cacher et, au fond, tromper le monde, quel soulagement ce serait de dire carrément les choses. Ce serait comme rire à la télé. Ou sourire sur les photos. Ce serait comme aller dans une soirée sans avoir peur de se faire prendre par les paparazzi des magazines people. Oh oui, ce serait une telle délivrance de pouvoir enfin parler librement, simplement, tel que je suis et que j'aime être. Tous ces gens qui me disent « vous êtes si différent dans la vie, tellement moins antipathique », eh bien ils me retrouveraient comme dans la vie. Ils me découvriraient au naturel. Et quand Pivot m'interrogerait, quand il me demanderait : « cette histoire d'amour, est-ce que c'est vrai ? et cette fille qui, dans le *Diable*, vous fait croire, certaines nuits, qu'elle est sa propre jumelle ? et ce chagrin d'enfant ? et ce western financier sur fond de forêts africaines ? et cette rencontre avec Aragon ? et Deleuze, au Lutétia, vous expliquant que s'il a les ongles si longs c'est qu'il n'a pas d'empreintes digitales et que le contact avec les choses lui est affreusement douloureux ? et cette brouille avec Foucault ? et Lacan devant son miroir ? et cette affaire de chantage – cet homme a-t-il existé ? lui avez-vous réellement tenu ces propos ? pourriez-vous, comme votre héros, envisager de tuer un homme qui ferait chanter un de vos proches, froidement, dans un parking ? et cette scène, étonnante, où la femme que vous venez de rencontrer vous raconte qu'elle vit, depuis dix ans, avec son père ? et cette actrice qui vous révèle qu'elle porte, depuis la mort de sa mère, sa propre mort dans son sac à main ? n'est-ce pas la même femme, d'ailleurs ? cette femme est-elle une femme de votre vie réelle et n'êtes-vous pas en train de divulguer là son double et terrible secret ? et cette rencontre si étrange entre le père du narrateur et un ministre qui ressemble comme deux gouttes d'eau à Pierre Bérégovoy ? et Mitterrand, hein ? d'abord est-ce bien Mitterrand ? et que veut-il vous dire quand il vous appelle de Lisbonne pour vous prévenir : " faites attention, il ne les attache pas avec des saucisses " ? » – quand Pivot, et les autres, m'interrogeront, l'œil malicieux, sur la véracité de ces anecdotes et que, de l'air pénétré, un peu malheureux, qui sied à la circonstance, de l'air de celui qui ne voulait rien avouer mais que l'on pousse dans ses retranchements, d'une voix un peu étranglée par l'émotion, dans un souffle, je murmurerai « oui c'est vrai, oui, c'est moi » un froid tombera sur le plateau, mais ce sera celui de la stupeur, et aussi de l'émotion, et alors on criera peut-être au chef-d'œuvre – puisqu'il n'y a d'autre passeport pour le chef-d'œuvre, aujourd'hui, que celui de l'authenticité.

On nous dit : « nous sommes dans l'ère du vide – l'époque n'aime, et ne célèbre, que le clinquant, le semblant, les valeurs factices et vaines. » Erreur ! Elle ne célèbre que les Purs, les Parfaits, le chemin vers l'Authenticité – et, dans l'ordre littéraire, les grands silencieux.

On nous dit : « arrêtez ; c'est vous que l'époque célèbre ; c'est vous, son visible symbole ; le nouvel âge est médiatique et vous êtes le médiatisme même. » Autre erreur ! Médiatique aujourd'hui, c'est comme sioniste hier, vipère lubrique avant-hier, fasciste avant-avant-hier : le péché capital, l'injure suprême. Il n'y a qu'une posture tenable, désormais. Une case gagnante, et une seule. C'est celle du retrait vertueux, un peu glaireux, mais affiché – c'est celle des Blanchot, Le Clézio, Des Forêts.

On va me dire : « quoi ? vous insultez les vertueux ? vous crachez sur les silencieux, ces héros ? » Non, non, je ne crache pas. Je constate. Prenez Des Forêts ou Le Clézio. J'imagine qu'ils ont dans leurs placards une belle panoplie d'invisibilité qu'ils sortent pour les grandes occasions. J'imagine que veille une Madame Le Clézio, ou Des Forêts, ou l'équivalent, qui leur rappelle, avant de sortir : « tu n'as rien oublié ? tu as ta panoplie au grand complet ? » Je la vois leur épousseter, sur le pas de la porte, leurs beaux galons de grands vertueux et je l'entends, dans l'escalier encore, leur rappeler les dix commandements du parfait silencieux. Ils sont prêts. Ils sont en piste. Ils ont leur habit d'invisible et c'est l'habit de lumière d'aujourd'hui.

On me dit, on insiste : « admettons que les silencieux aient, en effet, leur petite part de lumière ; admettons que leur soit acquitté cet humble tribut de gloire et d'honneur ; ils n'en sont pas moins le contraire de l'époque ; ils en sont le vivant démenti ; ils campent dans ses marges ; ils refusent obstinément d'y entrer – ils n'ont de partisans que parce qu'ils sont des résistants. » Erreur, encore ! Malentendu ! Ils sont le cœur de l'époque au contraire. Son invisible noyau. Car tel est le théorème, telle est la loi d'airain : plus elle produit du faux, du semblant, du faisan – et plus elle communie, à l'inverse, dans le culte des grands authentiques.

Question à débattre avec le vieux maître : en va-t-il ainsi de toutes les époques, ou de celle-ci en particulier ? d'autres époques que la nôtre ont-elles fonctionné sur ce double registre – corruption généralisée d'un côté, grands totems vertueux de l'autre ?

Le vieux maître. Rappelez-vous le texte de Dumézil que je vous faisais lire autrefois : les Anciens célébraient chez leurs dieux le contraire des valeurs qui avaient cours parmi eux ; ils n'étaient réellement leurs dieux que pour autant que prévalait, chez eux, l'inverse des lois des mortels.

Moi. Oui. Mais ce n'est pas pareil. Le Clézio, Blanchot, etc., ne sont pas les dieux de l'époque. Ils sont sa vérité ou, si vous préférez, son carburant, le moteur qui la fait fonctionner.

Lui. C'est ce que Marx appelait l'idéologie – la société donne à voir sa célébration des Parfaits alors qu'elle n'adore, en réalité, que le putride, le pourri, l'avarié.

Moi. Les deux sont liés. Relation de cause à effet. C'est parce qu'on célèbre Blanchot qu'on bouffe du faisan à longueur d'année – c'est parce que nous sommes faisandés que nous dressons un autel à Blanchot.

Lui. Ontologie du semblant.

Moi. Métaphysique du faisan.

Lui. On garantit en monnaie forte les assignats du Spectacle et de ses commerces ordinaires.

Moi. L'éternelle histoire du corrompu qui joue à l'incorruptible, de la pute qui pose à la sainte – toutes ces demi-mondaines qui vont au bout de la nuit de l'imposture et du vice et qui, le matin venu, vous disent : c'est le dalaï-lama qui a raison – Ida, les dernières années, était comme ça.

Lui. Marx toujours. Je suis désolé, mais papa Marx avait du bon : ne jamais prendre pour argent comptant ce qu'une société affiche d'elle-même ; ne jamais la juger aux valeurs qu'elle met dans ses vitrines – une société qui met en vedette le silence, le retrait, l'authenticité, on peut être certain que c'est la société la plus profondément bruyante, inauthentique, viciée.

Moi. Ou, là encore, l'inverse. Une société ne commence d'être intéressante que lorsqu'elle met dans ses vitrines sa part d'impureté ; les sociétés anglo-saxonnes qui mettaient en exergue le profit, donc l'appât du gain, et qui n'étaient, au fond, sûrement pas les moins vertueuses ; ou encore Florence avant Savonarole – la décomposition assumée, la loi du vice et du plaisir, la simonie, la débauche, les dérèglements les plus extrêmes, l'altération des grandes vertus et, au bout, un raffinement de civilisation comme peu d'époques en ont connu.

En un mot comme en cent, il serait grand temps que je parle de moi, vraiment de moi – et que je prenne ma part, après tout, de ce marché de l'authenticité bien jouée. C'est ce que me disait d'ailleurs J.-P., à Paris, au lendemain du bide bang. Nous parlions des uns. Des autres. Nous parlions de Régis, justement, et de cette chance de pouvoir, indéfiniment, tirer sur le compte de sa vie. Une fois de temps en temps, histoire de se refaire, de reconstituer ses accus et ses stocks d'authenticité, il nous rejoue, bien sûr, le coup du grand ombrageux. Mais c'est à peine la peine, on se disait. Ne le ferait-il pas que son crédit resterait intact. Car il a cette chance inouïe qu'est, pour un écrivain, une belle grosse scène primitive – en l'occurrence, Camiri. C'est comme un baptême, une scène comme ça. C'est même un baptême *parfait.* Car ça s'use, d'habitude, un baptême. On est pur le jour du baptême, l'instant même de la divine communion. Mais, l'instant d'après, ça se dégrade et reviennent le péché, l'origine, la perversité polymorphe, la saloperie du monde qui vous fout en l'air votre pureté. Alors que, lui, Régis, ça dure. Quoi qu'il fasse, ça ne passe pas. Deviendrait-il tenancier de bordel à Tanger, remplacerait-il Sophia à la Maison Tellier locale, qu'il resterait l'homme de Camiri et qu'il y aurait toujours un étudiant, à Rabat, pour le regarder comme un matin du monde.

Je suis retourné, l'autre jour, chez Sophia. C'était le même décor de cloître cochon. Les mêmes tables basses, avec leurs napperons de plastique jaune taché. Le pianiste devenu sourd. Le pick-up à pavillon, dans un coin, hors d'usage. Le lustre. La vilaine peinture rose écaillée avec des petits miroirs ébréchés. Les divans de skaï rouge défoncés. Du linge qui séche, dans un coin, sur un fil. Deux clients dans la pénombre : la spécialité de Sophia était, dans le temps, de prévoir un tarif spécial pour les pauvres entre les pauvres qui n'ont pas les moyens de tirer leur coup mais juste de se faire un peu consoler – est-ce que le système avait duré ? Des voix au-dessus de nos têtes. Des pas. Une demi-douzaine de filles, ni plus belles ni plus moches que naguère – fardées, sourire figé, les yeux enflés par le khôl, ensommeillées. Mais il y avait surtout ceci, qui ne changeait rien et changeait tout : sur un banc, au fond de la pièce, édentée, pelée, les yeux si creux que je l'ai d'abord crue aveugle, les lèvres légèrement tremblantes, une vieille qui se chauffait près d'un radiateur électrique et dont la vue m'a bouleversé – une des belles d'il y a trente ans, peut-être la plus belle, je la revois en robe de mariée, toute blanche, c'était sa tenue de guerre, un Américain facétieux la lui avait offerte, elle faisait les plus belles pipes de Tanger, et voilà, c'était elle, ce sourire rouillé, ce regard de fantôme, cet air rêveur et curieux, comme si elle cherchait, elle aussi, dans ses souvenirs, ce léger mouvement de la tête, presque gracieux, à moins qu'elle n'ait, simplement, tenté de chasser une mouche. Peut-être m'a-t-elle reconnu. Moi, en tout cas, je l'ai reconnue. Alors j'ai bu un thé, et je suis très vite reparti. Je n'aime plus les filles de Tanger. Je suis, merci A. !, devenu, moi aussi, un autre.

Nous parlons de Régis, donc, avec J.-P. et de son baptême définitif. Nous parlons aussi de la situation inverse, celle des malchanceux qui souffrent du « syndrome Macbeth » – une souillure originaire dont ils ne parviennent pas à se défaire, un faux départ, une image initiale et fatale : Cocteau, éternellement mondain ; Roussel – « ah ! si je n'étais pas riche, peut-être aurais-je du génie » ; et moi, en version farce, avec l'affaire du pharmacien Benesti, ou ces histoires de médias qui, quoi que je fasse, me collent à la peau. Et puis, au bout d'un moment, J.-P. s'énerve. « Va au bout de ton hypothèse ! Va au bout ! Ce qu'on attend de toi c'est un livre qui, en effet, jouerait la carte de la vérité. Alors dis-la, cette vérité. Fais entendre ta vraie voix. Et fais-le dans un livre qui soit homogène à ton programme – douloureux, blessé et, donc, fragmenté. » Et comme je proteste que cela ne me ressemble guère et que mon esthétique est, hélas, une esthétique de la grande forme, composée, donc achevée : « tu nous embêtes avec ton esthétique ! tes livres sont trop écrits... beaucoup trop bien fabriqués... on étouffe dans tes paragraphes trop égaux... on suffoque sous tes grosses coulées de mots... tu sais à quoi ils font penser, tes mots ? aux fûts d'une forêt trop dense où l'on ne pourrait plus cheminer ; ou à ces labyrinthes où on ne peut entrer que par un bout, sortir par un autre bout – et encore, quand on en sort ! ou à ces bataillons d'hoplites, disposés en rangs serrés, impossibles à pénétrer – sauf à casser la première ligne, puis la seconde, et ainsi de suite, à la hache, est-ce ainsi que tu veux être lu ? » Et enfin, comme je commence à me vexer et me drape dans ma dignité : « ce que l'époque réclame, c'est de l'émotion ! tu m'entends, de l'émotion ! et pour que l'émotion passe, une liberté de ton ! et pour qu'il y ait liberté de ton, des livres ouverts, un peu disloqués, où l'on entre comme dans un moulin et d'où l'on sorte comme ça vous chante ! regarde *Ostinato* de Des Forêts : c'est un livre qui marche parce que c'est un livre qui sent l'aveu ; et, pour qu'il sente l'aveu, il fallait qu'il ait cctte forme hardie, un peu débraillée, juste le contraire de tes grandes machines cadenassées. »

Hum... *Ostinato*... J'ai lu, depuis, *Ostinato*. J'ai même emporté avec moi, ici, à Tanger, les livres que j'ai pu trouver de Des Forêts. Mais outre que ce type de littérature n'est décidément pas mon genre, outre que j'ai du mal à me retrouver dans ces histoires d'adolescents en culotte courte, d'enfances perdues et retrouvées, de corps frôlés et dérobés, d'attouchements solitaires, de chairs tremblées, de désirs frustrés et de caresses crispées, outre que ces rumeurs de pensionnats de province et de dortoirs poisseux, ces odeurs de vieux draps, de velours côtelés moisis, de pisse refroidie, de branlettes et de caleçons souillés, sont ce qui, en littérature, me dégoûte probablement le plus, la vérité est que je serais surtout bien incapable d'en faire autant. Qu'un événement m'arrive. N'importe quel événement de l'une quelconque de mes vies. Et une étrange mécanique se met en marche qui le prive aussitôt de toute espèce de vertu romanesque. Je ne sais s'il faut dire qu'il se dérobe à l'écriture. Ou si c'est mon écriture qui, à son contact, se rétracte. Ou encore si ce qui m'advient a la propriété de perdre son charme quand j'entreprends de le faire partager. Mais le résultat est là. Bons ou mauvais, je n'ai jamais su faire de littérature avec mes propres sentiments ; les événements de ma vie sont les seuls que j'aie été, jusqu'ici, incapable de ressusciter par l'écriture.

Flaubert. Les idées sont des faits. Les vrais faits sont mes idées. Peu importe ce que je vois en Orient. Peu m'importe ce que j'en ressens. Je sors d'Abou-Simbel, j'ai les yeux pleins du spectacle de ses colosses et de son temple à demi comblé par le sable, j'entends les oiseaux de proie qui me tournent autour de la tête et je ne trouve qu'une chose à dire – « elle s'appellera Emma. »

Roussel. Le fameux tour du monde de Roussel. Pas de vraie visite de Pékin. Pas de coucher de soleil en Tasmanie. De longues semaines à Tokyo, Nagasaki, Yokohama, sans presque quitter sa chambre. Et à New York, dans la ville lumière de l'époque, là où Céline, Kafka, bien d'autres, trouveront force et inspiration, rien que des souvenirs de chiottes, de salles de bains et de chambres d'hôtels. « Toutes les grandes villes se ressemblent », confiera-t-il à Pierre Leiris. Et à Elie Richard : « j'ai accompli le tour du monde, je n'en ai rien tiré pour mes livres. »

Gary. Je ne parle même pas de ses voyages dont il n'a pas non plus tiré grand-chose – drôles de voyages, au hasard d'un avion en partance, sans but, souvent sans bagages et, en tout cas, sans débouché dans les livres. Mais je pense à sa guerre. Et quelle guerre ! Français libre dès juin 40. Incorporé, dès le mois d'août, aux Forces aériennes françaises libres. Soixante vols au-dessus de la France occupée. Survivant, avec quatre autres, d'une escadrille de deux cents pilotes. L'histoire magnifique de la mission catastrophe au-dessus du bois d'Esquerdes : le Boston touché ; Arnaud Langer, le pilote, blessé aux yeux, aveugle ; lui, Gary, blessé au ventre, perdant son sang et, dans cet état de semi-conscience, trouvant la force de guider le pilote à la voix et de le conduire, en rase-mottes, au-dessus de la cible prévue puis, mission accomplie, retour à la base de Hartford Bridge. Malraux, d'une aventure pareille, aurait fait un volume du *Miroir des limbes*. D'une vague histoire de char embourbé à Bois-le-Prince, il a tiré cinquante pages, d'ailleurs admirables. Gary, lui, n'en fait rien. Il n'en tire qu'une page ou deux, parmi les moins inspirées, de la *Promesse*. Ce héros, ce survivant, cet homme qui a connu la plus formidable épopée du XXe siècle, vit tout cela mais ne l'écrit pas. Et si grande est sa répugnance à faire des livres de ce qu'il vit, si incroyable est sa propension à juger que la vraie vie, celle qui doit nourrir le romanesque, est toujours et forcément ailleurs, qu'en 1944 donc, au retour de ces raids incroyables, la tête pleine de scènes inoubliables qui, pour n'importe quel autre romancier, seraient le plus fabuleux des matériaux, il s'enferme dans sa chambre, s'isole de ses camarades et, dans la nuit anglaise, se livre à cet invraisemblable exercice : il se transporte par l'esprit à deux mille kilomètres de là, au cœur d'une autre guerre dont, contrairement à celle-ci, il n'est ni acteur ni témoin – et, se forçant à imaginer ce qu'il ne vit pas alors qu'il serait si simple, et si payant ! de raconter, simplement raconter ce qu'il vient de vivre quelques heures plus tôt, il reconstruit la guerre des partisans en Pologne et en tire *Education européenne.*

Ce qui se passe dans la tête d'un homme qui fonctionne comme ça ? Par quelle étrange tour de l'esprit un écrivain peut-il parler de tout sauf de lui – de n'importe quelle guerre, mais pas de celle qu'il est en train de faire ? Il faudrait plus réfléchir sur ce cas Gary. Il faudrait peut-être opposer : d'un côté le général de Stendhal qui, lorsqu'il sent son inspiration se tarir, va refaire une campagne, lancer une nouvelle attaque, déclencher une nouvelle guerre, bref refaire un tour de vie, histoire de réenclencher la mécanique – et, de l'autre, le lieutenant Gary de Kacew qui représente la figure inverse puisque de ses batailles, assauts, guerres, etc., il ne prélève rien, ou presque, pour ses livres. Mais restons à la question d'ensemble. Restons au cas, plus modeste, du type qui est ici, à Tanger, et qui peut envisager d'écrire un livre, par exemple, sur Gary – mais pas sur les jeux de Ida, ni sur ce qu'est devenu Mehdi, ni même sur ce drôle de personnage, là, à ma gauche, petite trentaine, cravate ficelle, costume marron et étroit aux épaules, qui a l'air d'un Argentin des années cinquante et qui s'approche, avec des mines de conspirateur, de la boutique de dentiers modèle-unique-prêts-à-emporter cent-dirhams-le-dentier-vingt-dirhams-lapose – et encore moins, donc, sur l'état, assez inédit, où je me suis trouvé dans les semaines d'après le « grand échec » et dont il faudrait pouvoir dire, sans complaisance mais sans bravade non plus : « tristesse... naufrage... apocalypse dans la tête... je ne comprends pas... sensation de vide... chaos d'images sombres... bouffées de rage... puéril espoir d'autres tumultes, plus larges, où se diluerait mon discrédit... envie de fuir – pour reprendre souffle et, aussi, juste pour fuir... mais où ? quel refuge ? quel autre toit de calomnies ? et surtout, quels mots ? pas de mots pour ce rôle-là... pas de texte en magasin... j'ai eu mal, voilà... simplement très mal... »

Il y a l'explication théorique, style vieux maître ou apparentés : l'homme n'est pas le sujet de l'Histoire ; il ne peut donc pas être le sujet de la littérature ; « je n'ai pas, vous n'avez pas, de vie intérieure – ou, si vous en avez une, elle n'a d'intérêt ni théorique ni littéraire ».

Il y a les raisons morales. Eh oui ! Il m'arrive aussi, parfois, de réagir sur des critères moraux. Mais à ma façon, n'est-ce pas. Sans grands airs. Sans culottes courtes dans les forêts. Juste cette idée qu'il est trop facile, trop payant justement, de jouer sur cette corde du bel aveu saignant et trébuchant, du cœur mis à nu, etc. Comédie de la vérité. Cabotinage de l'authenticité. Où est la complaisance – dans mes mensonges littéraires, ou dans leur volonté d'aveu ? chez le type qui, sachant que la vérité ne se dit pas toute, prêche le faux pour savoir le vrai et fait d'une fable sur Baudelaire le chemin de la connaissance – ou chez le soi-disant sincère qui confond l'écriture d'un roman avec une psychanalyse ? Où sont l'exigence, le vrai souci littéraire : chez l'écrivain qui sait que son métier est de créer des images, des semblants, bref des fables – ou chez l'iconoclaste qui se met juste à l'affût de lui-même : « je guette ; j'écoute ; je transcris ; j'attends de la vie qu'elle m'intime l'ordre d'écrire » ou, pire : « je gratte ; j'épouille ; je me suis cureté jusqu'à l'os ; et ce squelette de mon être, je vous l'offre » ?

Il y a le goût du secret. Je l'ai, ce goût, dans la vie – comment ne l'aurais-je pas dans les livres ? J'ai été, dans la vie, un spécialiste de la double vie – comment irais-je, lorsque j'écris, simplifier ce que je me suis ingénié à brouiller ? Mes existences cloisonnées. Ma passion de l'ubiquité. Mon goût de la clandestinité érotique. Taxis. Hôtels de rencontre. Tromper avec elles-mêmes les femmes auxquelles je suis fidèle. Laisser le moins de traces possible. Prendre des faux noms, quand je le peux, dans les hôtels et faire croire, quand je le peux aussi, que je suis encore à Lisbonne alors que je suis déjà à Tanger, ou à Marrakech alors que je pars, justement, pour Lisbonne. Cette stratégie savante, vais-je, pour un livre, en perdre le bénéfice ? ces défenses – car ce sont des défenses – la littérature vaut-elle que je les fiche en l'air ? Cette page de Truman Capote que m'a fait lire A., l'autre soir : si je préfère New York à Londres c'est qu'on peut mener, à New York, dix vies différentes, avec dix réseaux d'amis, dix métiers différents, dix sortes de restaurants, de cafés, de lectures, peut-être de sexualités alors qu'on n'ira jamais, à Londres, au-delà de deux, maximum trois – n'est-ce pas, depuis bien longtemps, l'un des principes de ma propre vie ? ai-je jamais choisi autrement les villes où j'ai vécu ? et Tanger même – le côté de la Vieille Montagne et celui du café Hafah... ?

Il y a l'hypothèse du recyclage différé. Je stocke. Je mets en réserve. Je fais comme les enfants qui gardent le meilleur pour la fin. Patience ! Le moment viendra ! J'attends les jours meilleurs où le rapport de forces se sera renversé et où, jouissant de cet état de faux mort vivant, de gâteux facétieux et glorieux, qui est le rêve suprême des artistes, je pourrai tout dire, vraiment tout : mais d'un bloc, en une fois – et pas question, à ce moment-là, de distiller, édulcorer ou faire passer la vérité pour de la fiction.

Et puis il y a la dernière explication enfin, peut-être la principale, à laquelle je pensais hier soir et qui vaut, au-delà de moi, pour tous ceux qui préfèrent la fable à l'aveu et qui... Tiens ! Que fait l'Argentin ? Il a vraiment l'air, ma parole, d'entrer chez le marchand de dentiers unitaille. Regards furtifs, des deux côtés de la rue, comme pour s'assurer qu'il n'est pas suivi. Le marchand lui montre un appareil. Un autre qu'il semble soupeser. Il file, maintenant, dans le fond de la boutique. Un rideau, j'imagine. Il doit y avoir un rideau et, ensuite, une arrière-boutique. Car le revoilà avec deux autres types, un Arabe et un Européen. Est-ce que c'est, vraiment, un Européen ? Probable, oui. Caricature du gangster tangérois des années cinquante avec blazer blanc croisé, chemise noire, cravate voyante. « Non mais regarde-moi la merde que tu vends », a l'air de dire le gangster en donnant un coup de poing dans le tas de dentiers. Protestation du marchand. Mine menaçante du gangster. « Ah ! et puis démerdez-vous », fait l'Argentin qui ressort. Non, d'ailleurs. Il change d'avis. Il a dû entendre, dans son dos, que les choses se gâtaient car il revient sur ses pas et rentre dans la boutique comme s'il voulait calmer le jeu. Le marchand pleure, à présent. Il est assis par terre, au milieu de ses dentiers, et il pleure. L'Argentin lui montre une carte, peut-être une carte consulaire. Le marchand, piqué au vif, se ressaisit, se relève et brandit un bout de papier – une autre carte ? une licence ? – qu'il lui met également sous le nez. Carte contre carte. Yeux dans les yeux. Les deux acolytes, pétrifiés, comme s'ils assistaient à un terrible duel. Dix secondes. Vingt. Ça y est. C'est le marchand qui baisse les yeux. Mais oui ! Pauvre diable. Il a l'air terrassé, tout à coup et l'Argentin retourne derrière le rideau et en ressort avec... un gamin, on dirait... Une femme voilée et un gamin qui fume du kif... Drogue ? Trafic de femmes ? Pédophilie ? Ou bien, plus banale, l'histoire d'un mec qui a oublié les clefs de sa maison, ou de son garage, se fâche et vient chercher des gens pour lui ouvrir ? Une chose est sûre. Cette scène m'intrigue. S'il n'y avait pas ce rendez-vous dans une demi-heure, rien ne me ferait plus plaisir que d'espionner encore le marchand, le regarder ramasser ses dentiers, entrer peut-être, le faire parler ou même interroger ses voisins, le vendeur d'« oiseaux pour décoration », ou le coiffeur. Mais je sais en même temps que, rendez-vous ou pas, l'idée ne me viendrait jamais de la mettre, cette scène, dans un roman : il suffit qu'une chose m'amuse, il suffit que je l'aie vécue avec intensité, bonheur, plaisir ou, simplement, curiosité pour que je n'aie plus ni le goût, ni le talent, d'en faire de la littérature...

C'est là un vrai partage – et je crois que, cette fois, je tiens la bonne explication.

Il y a les écrivains qui nous disent : « l'art est la compensation de la vie et de ses plaisirs imparfaits » (Truman Capote, justement) ; ou : faire de l'art, « c'est mettre quelque chose à l'abri de la mort » (Kafka) ; ou : « écrire c'est penser que la vie n'a que nous pour survivre » (Malraux) ; ou encore : « ce que j'ai raté dans la vie, je le reprends dans le roman et, enfin souverain, je le réussis » (Stendhal). La vie est le brouillon de l'œuvre. L'œuvre est une vengeance sur la vie. Ce que j'ai esquissé dans la vie, je l'accomplis dans un beau livre.

Et puis il y ceux qui, à l'inverse, n'ont besoin ni de vengeance ni de brouillon. Quand ils vivent, ils vivent. Quand ils jouissent, ils jouissent. Et, attachant le même prix à l'art de jouir qu'à celui d'écrire, il ne leur viendrait plus à l'idée de rattraper par la fiction ce qu'ils auraient en partie manqué dans le réel. « Je me moque bien d'écrire, je veux vivre », dit Joyce. Et Debord : « pour savoir écrire il faut savoir lire, et pour savoir lire il faut savoir vivre. » Et Cravan : « je préfère de beaucoup la boxe à la littérature. » Et, bien entendu, Roussel, Flaubert, Gary et compagnie. Il y a des écrivains qui font leur plein de jouissance dans la vie et qui, lorsqu'ils ont bien vécu, n'ont aucune raison d'aller, avec cette vie, tenter de faire, en plus, des livres – ma vie a été trop pleine pour irriguer mes livres...

Premier axiome de cette race d'écrivains : séparation de la vie et de l'œuvre. Ce que j'ai vécu je ne l'écris pas. Ce que j'écris je ne l'ai pas vécu. C'est parce qu'il a vraiment fait sa guerre que Gary n'a plus besoin de la romancer – c'est parce qu'il ne sait rien de l'autre guerre qu'il a besoin de la vivre par la fiction. Il fait deux guerres. Il fait deux fois la guerre. Il fait la guerre par les armes, il fait la guerre par la plume. Et loin, donc, que la littérature soit un moyen de revivre ce que l'on a vécu, elle sert à vivre ce que, sans elle, on n'aurait, au contraire, jamais vécu.

Second axiome. Conaturalité. Communauté de substance. Si je peux indifféremment vivre et écrire, ou écrire et vivre, c'est qu'entre ce que je vis (et dont je me dispense de faire le récit) et ce que je récite (pour élargir le spectre de ma vie), il y a vraie identité d'essence. Guerre faite et guerre vécue, c'est du pareil au même. Gestes et textes, ce sont deux espèces du même genre, deux modes de la même substance. Les textes sont comme des gestes. Les gestes, comme des textes. Et peut-être faudrait-il inventer un mot qui dise ce même matériau, ce drap commun où ils sont pris – le « gexte » par exemple, mixte du texte et du geste, qui serait l'unité de base, le nombre premier de l'algèbre imaginaire propre à ce type d'écrivains. Vivre son œuvre ? Ecrire sa vie ? Multiplier ces « gextes » qui, au choix, s'écrivent et se vivent.

Troisième axiome. Peut-être Cravan pousse-t-il le bouchon un peu loin en prétendant qu'il préfère boxer à écrire. Mais ce qui est certain c'est qu'il mène son œuvre (ou, cela revient au même, sa vie) sur ce double théâtre, ce double front et selon cette double stratégie qui est donc celle du « gexte ». Il écrit comme il boxe. Il boxe comme il écrit. Il est autant écrivain, ni plus ni moins, quand il écrit et quand il boxe. Et, des écrivains qui lui ressemblent, on peut alors dire : tantôt ils avancent par des gestes ; tantôt ils avancent par des textes ; mais c'est toujours la même avancée ; toujours la même aventure ; c'est comme un relais, là encore ; un double accès à l'Etre ; c'est le même Etre qui, à la façon de celui d'Aristote, se dit de plusieurs manières ; c'est un trajet unique, mais complexe, qui se vit, et se lit, par les deux entrées – et c'est ainsi qu'un style de vie est littérairement aussi important qu'un style tout court.

Je repense à une page de « Missié Michel ». Je la savais par cœur dans le temps. Est-ce que je m'en souviens encore ? « Je crois, disait-il, qu'il faut essayer de concevoir qu'un écrivain ne fait pas seulement son œuvre dans ses livres, dans ce qu'il publie. » Je crois, continuait-il, que « son œuvre principale c'est finalement lui-même écrivant des livres ». Et encore : « c'est ce rapport de lui à ses livres » qui est « le point central, le foyer de son activité et de son œuvre » – l'œuvre est « plus que l'œuvre », le sujet qui écrit « fait partie de cette œuvre ». Voilà où j'en suis. Voilà comme je fonctionne. Et voilà pourquoi, jusqu'aujourd'hui, je reste, finalement, foucaldien.

4

Il y a tant de vies dans une vie.

C'est vrai de A.

C'est vrai de Ida, de Baron ou du vieux maître.

C'est vrai de Mehdi : trois vies, au moins ! Le magnifique des années soixante-dix, chéri des femmes et des pères jésuites. Le prince consort von C., beau mariage, naissance de la petite Nadia, le piège qui se referme, il ne le sait pas encore, il est heureux. Le déchu d'aujourd'hui, le suicide lent – je n'ai pas réussi, depuis mon arrivée, à savoir où il habite, ni à connaître sa nouvelle femme, ni même à voir ses dernières toiles ; qu'est-ce qui reste d'un homme qui a été si beau, si comblé ? des restes de nonchalance... des effervescences brèves... parfois, une gaieté... et puis cette mélancolie qui, comme s'il se ravisait, recouvre tout... pauvre vieux frère !

il a réellement cru qu'un beau gosse du Rif pouvait s'allier avec l'une des plus vieilles familles prussiennes et en sortir indemne, avec l'enfant !

C'est vrai du plus humble des humbles – l'Argentin par exemple ; le vieux spécimen tangérois à la chemise satinée blanche ; le gardien du cimetière, avant-hier – son œil unique, sa face ratatinée : « de naissance ? oh non ! a rigolé Hassan, le barman du Monocle... tu n'as pas, de naissance, une gueule écrabouillée comme ça... je t'emmènerai, un soir, à Ben Dibane, ou près de l'asile de Beni-Makada, tu comprendras comment on peut, à Tanger, se faire ratatiner la gueule... » ; ou bien cet autre type, là, derrière moi, tellement bizarre avec son collier de barbe blanche, ses lunettes rondes et sans monture, son visage d'intellectuel qui ne cadre pas avec la gandoura, son teint clair, son air ultra-distingué – dix minutes, au moins, que je le sens dans mon dos ; est-ce qu'il me suit, par hasard ?

Mais c'est encore plus vrai des écrivains – ces recordmen de la double vie, ces Protée, ces Fregoli, ces grands menteurs devant l'Eternel, ces faussaires : paraît qu'il reste des rigolos pour douter de la différence proustienne entre « moi social » et « moi profond » ; moi, non seulement je n'en doute pas, non seulement je suis convaincu qu'on ne peut pas être écrivain, c'est-à-dire avoir des choses à cacher en même temps que des choses à raconter (et ce sont souvent les mêmes !), sans croire à cette séparation, mais je pense qu'il faut aller *encore* plus loin et que si Proust avait vécu, s'il avait connu Freud ou même (hypothèse absurde) Debord, s'il avait été contemporain de la psychanalyse et du Spectaculaire intégré, bref, s'il réécrivait son *Contre Sainte-Beuve* à la lumière des comédies d'aujourd'hui, il distinguerait non pas deux, mais cinq, six, dix, cinquante, cent moi dans le même moi du même écrivain. Il fait plus frais tout à coup. J'ai presque froid. Normal. Le vent s'est levé. Le terrible « chergui » de Tanger qui, dit-on, peut rendre fou. C'est l'heure où le marchand de matelas ferme boutique, où les mendiants cherchent abri pour la nuit et où les vieux du quartier commencent de se rassembler, à l'angle de la rue, pour la conversation du soir – cercle de djellabas blanches, belles têtes rongées par les ans, regards de fakirs, murmure rauque. Le type qui me suit, par exemple : sa gandoura et sa tête d'intello, cette façon d'être et de ne pas être d'ici, ce côté effacé dans la manière de marcher et on ne voit pourtant que lui, j'aimerais bien savoir à partir de quel moment une barbe fait mollah et jusqu'à quand intellectuel distingué – combien de vies, hein, dans sa vie ?

Imaginons que j'écrive « mon » *Contre Sainte-Beuve*.

Il y aurait le moi social, OK. Le moi de tous les jours. Le « petit Marcel » de Proust. Le « Monsieur » de Valéry. Ici, aujourd'hui, le Parisien fraîchement débarqué et, néanmoins, ancien de Tanger. Le blessé dans son orgueil. Le défait. Chaque jour, depuis que je suis ici, est comme un désert à traverser. Le bruit cassé de la fontaine. Non, merci, je ne veux ni kif, ni cigarettes ultra-light à l'unité, ni gazelles. J'avais oublié que c'était jour de match – d'où grappes d'hommes agglutinés devant les télévisions des cafés, barbus calamiteux, gueules de camés. Ce moi-là, je l'appelle « le vivant ». C'est « B. ». Ou « Bernard ». C'est la non-source de mes livres. C'est l'être empirique dont je prétends n'avoir, à ce jour, rien pu tirer pour mes romans.

Il y a, séparé de lui, presque étranger, celui que Proust appelle le « moi profond » et que j'ai envie de nommer le « grand trafiquant », puisque c'est lui qui, en secret, presque à l'insu de l'autre, fait sa cuisine littéraire, ses opérations chimiques compliquées : raconter Baudelaire mourant, se mettre dans la tête de la jolie Mathilde, je suis l'enfant naturel d'un couple diabolique, le fascisme et le stalinisme – c'est lui qui, tout à l'heure, rêvait d'un livre sur Gary ou, il y a quelques semaines, d'une enquête sur les dernières heures de Debord. Quoi ? Debord ? Moi et Guy Debord ? Absurde, s'il ne s'agissait que du premier moi – et je comprendrais la stupeur des gardiens du temple, leur ironie. Mais l'autre moi... L'auteur des *Aventures* et du *Baudelaire*... L'écrivain fasciné par les vies finissantes, les agonies... Si j'admets l'hypothèse proustienne, si j'admets, non seulement l'existence, mais l'autonomie de ce second moi, alors, rien d'étonnant à ce que le symbole que je suis – à leurs yeux – du Spectacle puisse être fasciné par son plus farouche adversaire. « Lévy. » « Bernard-Henri Lévy. » On dira, par commodité, « L. ». Et ce serait l'auteur, plausible celui-ci, d'une « dernière heure de Guy Debord » dont j'ai déjà le ton, les thèmes, les premiers éléments. Une bastide du Sud de la France. Une radio. Quelques livres. Un bon vin. Le souvenir des amis disparus. Les adieux qu'il n'a pas faits, ou qu'il a faits sans le dire – plaisir pervers de ne rien annoncer, de déjouer le jeu truqué de la compassion. Il reste une heure. Juste une heure. Le monologue intérieur peut commencer. Qu'est-ce qu'ils ont, dans le café, à pousser ce hurlement ? Le Maroc a marqué un but, je suppose.

Il y a, troisièmement, le personnage. Le masque de l'écrivain. La gueule qu'il se fait quand il sort de ses livres et va, par exemple, à la télé. Il y a ce moi posé, composé, fabriqué, qui n'est pas celui de la vie de tous les jours, mais celui de la vie des grands jours. Il y a ce moi public qui n'est plus le moi des salons, des amours ou des amitiés mais celui qui va se produire sur les tribunes où la plupart des écrivains, de manière plus ou moins résolue, jouent leur image publique – c'est un moi scénarisé, c'est une image construite de soi, c'est un moi supposé flatteur sous le pavillon duquel ils vont naviguer et conquérir leurs quartiers de gloire. Moins sympathique que le moi social, forcément. Moins agréable à fréquenter. C'est la gueule de Malraux à la tribune de la Mutu. Celle de Barrès, en Lorraine. C'est Montherlant posant à l'hétéro alors qu'il n'a jamais aimé que les garçons. C'est Cocteau défendant les Rosenberg, pour se faire pardonner Arno Breker. C'est Aragon au Parti communiste. Drieu chez Doriot. C'est moi venant battre les estrades pour fustiger la misère du monde – ce psychodrame de la véhémence et de la révolte, ces fureurs dont je sais bien qu'elles ne sont réellement partagées ni par le premier ni par le second de mes moi, mais qu'une autre part de moi-même – la troisième – éprouve avec sa forme de sincérité. « Est-ce que j'ai été bon ? » demande, lorsque s'éteignent les sunlights, moi numéro 3 à moi numéro 1 et moi numéro 2 qui, l'un, n'en sait rien et, l'autre, s'en moque éperdument. Ce moi numéro 3, Proust n'en parle pas. Ou bien, s'il en parlait, ce serait comme d'une excroissance de moi numéro 1. Or c'est autre chose. Tout autre chose. Et il y aurait, pour chacun d'entre nous, une vraie troisième histoire à écrire, une vraie troisième biographie – celle de ce troisième moi, de ses réflexes, de son mode spécifique de fonctionnement, des signes qui le constituent : télévision, certes – mais aussi images diverses, photos, interviews, bribes de légende, articles, reines de Saba, guerres d'Espagne, engagements. Ah ! les engagements... Cette sérénade que nous nous chantons, tous, à propos de la « sincérité » de nos engagements... Il serait tellement plus simple d'admettre que c'est comme une série de poses, au sens photographique du mot, dont la somme finit par faire un visage et, sous le visage, une âme et, sous l'âme, une sorte de sincérité qui n'est pas celle de nos autres âmes mais n'en a pas moins ses propres statut, authenticité, dignité. L'œuvre d'un écrivain ne s'écrit pas seulement à travers ses livres ? Eh bien voilà. Nous y sommes. Cette autre œuvre. Cette autre vie. Ce mixte, encore, d'œuvre et de vie au moins aussi savamment composé que le plus savant des traités. On ne raconte pas un écrivain sans aller interroger cette autre science, cette autre réserve de signes qui forment, mis bout à bout, cette troisième existence, parallèle aux deux premières et, pour les amateurs de littérature, au moins aussi émouvante. Un petit âne qui boite. Les gamins qui le harcèlent. Les cris. L'allumette qu'ils vont lui foutre dans le cul. Le Prophète n'a-t-il pas dit que le cri de l'âne est le plus odieux de la Création ? Non ! L'âne est sauvé ! Et même pas besoin, ce coup-ci, de petites Anglaises ! Les gosses ont avisé une brèche dans le mur du cimetière... Ils s'y engouffrent avec des cris de joie et s'en vont tourmenter les morts à sa place... L'âne ou les morts ? Déjà une fois, à Vukovar, je m'étais laissé avoir par le spectacle d'un vieux chien aveugle, affamé, le corps couvert de croûtes et de pus sec, errant au milieu des ruines. Cette page d'Heidegger que le vieux maître nous avait commentée : l'animal est pauvre en monde ; il n'est pas, comme les objets, « sans monde » (weltlos), il est, littéralement, « pauvre en monde » (weltarm) ; en suis-je là ? heideggero-animaliste ?

Je revois Maurice Clavel, rue des Saints-Pères, apostrophant justement Foucault un soir où je les réunissais pour évoquer, au Twickenham, le lancement de *L'Ange* de Lardreau et Jambet : « combien y a-t-il de Foucault ? lui demandait-il, comment les accordez-vous ? comment pouvez-vous, dans vos livres, destituer l'homme et ses pouvoirs et, dans votre politique, rendre ses droits à la résistance, à la révolte, à ce même homme dont vous venez de décréter la mort ? » Et encore – de sa voix d'imprécateur où se mêlait, dès qu'il abordait « le » sujet, une nuance d'onctuosité jésuite qui ne lui allait pas bien : « si vous en êtes là, si vous êtes contraint à ce grand écart entre votre philosophie et votre politique, n'est-ce pas qu'une part de vous conserve la nostalgie de l'Autre, vous voyez qui je veux dire, hein, le Tout-Autre, Celui sans lequel il n'y a pas d'Homme puisque c'est à Son image que chaque homme est façonné ? » Foucault ne répond rien. Un sourire énigmatique aux lèvres, allant à petits pas sur la bande de trottoir trop mince pour que l'on puisse s'y engager à deux de front, il laisse Clavel marcher sur la chaussée – mais près de lui, très près, le serrant contre le mur, gesticulant, lui soufflant sa grosse haleine dans la figure. Ah ! cette façon qu'avait Maurice, Foucault ou pas, de faire le monstre dès qu'il était dans la rue ! Et pas seulement dans la rue, d'ailleurs ! Je le revois à l'Elysée, sous Giscard, à l'époque où la République inventait ses « déjeuners d'intellos ». Même halètement de cachalot. Même façon de tenir le Président sous le feu roulant de ses questions entrecoupées de longs et furieux reniflements. Le costume neuf, acheté pour l'occasion, mais trop petit, qui lui boudine l'estomac et le gêne pour respirer. Et, pour achever le tableau, les estafilades qu'il s'est faites, dans l'émotion, en se rasant et qui saignent encore. « Deux interprétations possibles, monsieur le Président : la matérialiste, je prends trop d'aspirine ; l'autre : ce sont mes stigmates, oui, mes stigmates, ah ah ah... » Et Giscard épouvanté par le spectacle de ce géant souffrant, soufflant, haletant, éructant : « c'est ça les écrivains ? ça a cette tête de furieux m'envoyant souffle et postillons dans la figure ? » et il se raccroche, comme à des bouées, à la courtoise présence de Jean-Marie Benoist et de Lévi-Strauss...

Clavel, donc, rue des Saints-Pères. Grandes enjambées inégales. Trébuchements. Gestes larges. S'arrêter au milieu de la chaussée. Chanceler sur ses longues pattes. Gronder. Branler du chef. Repartir. Buter sur un obstacle imaginaire. Hennir comme un vieux cheval. Aller à tâtons, en plein jour, comme si c'était la nuit. Retrouver une agilité de jeune homme pour laisser le passage à une jolie fille. Trébucher encore. Tanguer comme un ancien marin. Et tant pis pour les voitures qui, voyant ce géant hirsute, peut-être le reconnaissant, n'ont d'autre ressource que de ralentir ou, pour les mauvais coucheurs, de klaxonner – ce qui ne réussit, en général, qu'à le faire sursauter et lui inspirer des mouvements plus désordonnés encore : je n'ai jamais pu faire, avec lui, ce tronçon de rue sans trembler, à chaque seconde, de le voir se faire renverser. Foucault, ce jour-là, écoute mais ne répond rien. Car il sait, lui, la loi du *Contre Sainte-Beuve* moderne. Il sait qu'il y a, pour expliquer la contradiction entre ses moi, entre celui de la philosophie et celui de la politique, une autre hypothèse que celle de l'existence de Dieu : l'existence d'un troisième Foucault – disons, pour aller vite, un Foucault militant, ou politique, ou citoyen, qui n'est ni celui de *L'Archéologie du savoir* ni celui, plus secret, des bouges de Marrakech ou des saunas de San Francisco. C'est peut-être un mendiant, dans le fond. Ou, plus vraisemblable, un vendeur de kif. Peut-être va-t-il s'approcher et me proposer, lui aussi, du kif ou des filles. Je m'arrête, pour voir... Non, ce n'est pas cela, car il s'arrête aussi. Je repars, il repart. C'est, vraiment, l'attitude d'un type qui vous suit. Qu'est-ce que peut bien me vouloir un barbu qui me talonne, là, terrain découvert, en pleine rue Bouarrakia – je ne suis même pas encore au Socco ; comme c'est bizarre... ?

Le nom, dans mon cas, de ce troisième moi ? Le nom de ce moi politique, médiatique, etc., que je mets en scène depuis vingt ans et qui chemine à côté des moi social et profond ? Ce ne peut plus être « B. » (moi social). Ni « L. » (moi profond). On n'aura qu'à l'appeler « B.H. ». Ou « Bernard-Henri ». Oui, c'est bien, « Bernard-Henri ». C'est parfait. N'est-ce pas, d'ailleurs, la raison pour laquelle je l'ai, en son temps, adopté ? N'est-elle pas, cette décision de signer de mon entier prénom, le tout premier geste qui m'a fait entrer dans cette troisième existence ? C'est très précis dans mon souvenir. D'ailleurs, non. Pas si précis que ça. Car il y a deux souvenirs distincts. Deux circonstances qui se recoupent. D'abord l'affaire Mitterrand. Mon article sur *La Rose au poing*, de Mitterrand, dans *Combat*. Le coup de téléphone de son secrétariat à l'Ecole. « Allô ? Bernard Lévy ? C'est bien vous ? Rendez-vous rue de Bièvre, demain, dix-sept heures, François Mitterrand veut vous connaître. » Et le Bernard Lévy, mon homonyme et, par ailleurs, patron de la section socialiste de l'Ecole qui travaille dans l'ombre, depuis des années, à la plus grande gloire du premier secrétaire et sent enfin venu le moment de récolter les fruits de l'effort : « branle-bas de combat, camarades ! réunion extraordinaire pour préparer la rencontre au sommet ! ne vous disais-je pas qu'on avait l'œil sur nous, en haut lieu ? » – l'histoire veut qu'il ait fallu une pleine heure d'entretien, dans le pigeonnier de la rue de Bièvre, avant que n'apparaisse la méprise : « non ce n'est pas moi qui, dans *Combat*... oui, il y a un autre Bernard Lévy rue d'Ulm... » Et puis l'autre affaire. La vraie. On est toujours à la fin des années soixante. Quelques semaines plus tôt. Je rentre d'un long voyage au Mexique. J'ai passé trois mois, peut-être quatre, à faire tout ce que j'aime au monde : un peu de politique ; beaucoup de littérature ; chérir la femme que j'aime ; squatter la maison de la dernière femme d'Eluard, Dominique ; retourner sur les traces d'Artaud, chez les derniers Tarahumaras ; dormir à la belle étoile ou écumer sans les payer, sous le nom d'emprunt de Robert Flacelière, le directeur de l'Ecole, les grands hôtels du pays. Et, de retour à Paris, j'ai repris mon habit de normalien pour – sous la signature abrégée, mais qui me semble bien suffisante, de « Bernard Lévy » – donner aux *Temps modernes* un texte pur et dur qui est le vrai premier texte de ma vie et que j'appelle, après consultation conjointe d'Althusser et du vieux maître, « Mexique, nationalisation de l'impérialisme ». Le texte met deux ans à passer. Deux ans ! Mais enfin il est là. J'ai mon nom imprimé en belles lettres rouges sur le fond blanc de la couverture magique. Je suis fier. Je suis heureux. Cette revue confidentielle, mais encore dirigée par Sartre ! me semble être le lieu du monde le plus désirable – visibilité maximale, antichambre de la gloire. Et où que je sois, dans la rue, le métro, à la terrasse d'un café ou dans un restaurant, je n'ai qu'une idée en tête, une question qui me brûle les lèvres : « ont-ils lu ? s'ils n'ont pas lu, ont-ils vu ? savent-ils que le type qui entre, là, profil bas, he looks like somebody mais il la joue modeste, est l'auteur désormais immortel de " Mexique, nationalisation de l'impérialisme " ? » Et voici qu'au comble de l'euphorie, convaincu que Paris ne bruit que de la rumeur de cette entrée tonitruante dans le cercle des visibles, je vais à mon rendez-vous quotidien chez une jolie masseuse blonde qui a pour particularités : 1. de me rééduquer le genou que je viens de fouler au ski, 2. d'être ma maîtresse, 3. de militer au PSU, 4. d'être, pour cette raison, la seule masseuse de Paris à avoir dans sa salle d'attente, au lieu des classiques exemplaires jaunis de *Jours de France*, la dernière livraison de *Tribune socialiste* ; et là, dans sa salle d'attente, je tombe sur un numéro du journal qui publie, sous la signature d'un troisième Bernard Lévy, lui aussi homonyme parfait, un article sur... le Mexique ! Moi qui, cette fois, me sens ridicule. Moi qui vois le ciel me tomber sur la tête. Une impression de fin du monde qu'aucun échec futur, jusqu'au bide bang compris, ne m'aura procurée au même degré. Et Brigitte, la masseuse, qui annule tous ses rendez-vous pour, voyant mon désarroi, m'entraîner au Winston et tenir conseil de guerre. « Un imposteur, elle me dit... Ce ne peut être qu'un imposteur... Comment veux-tu, mon chou, qu'il y ait deux personnes au monde pour s'appeler comme toi. » Et moi qui sais bien, depuis le temps, que des Lévy, il y en a plein le bottin : « non hélas... c'est son nom... on peut vérifier, mais c'est sûrement son nom. » Elle : « c'est pas grave, mon chou... tu vas continuer d'écrire... tu seras meilleur que lui et tu finiras par le faire oublier. » Moi : « le problème n'est pas d'être meilleur... suppose que je me spécialise dans le Mexique... ou dans la nationalisation de l'impérialisme... c'est un sujet, ça, la nationalisation de l'impérialisme... ça occupe facilement une vie... tu me vois, toute la vie, avec, dans les pattes, cet autre Bernard Lévy qui ne va pas, lui non plus, lâcher un si bon filon ? » Mon existence est brisée. Mon rêve, évanoui. J'envisage bien la solution du pseudo, mais pour l'écarter aussitôt : moralement détestable, socialement peu praticable et puis inconvénient, surtout, de laisser sur le carreau, hors mes futures œuvres complètes, ce premier texte inoubliable. J'en suis là. J'en suis à ruminer cette situation d'écrivain mort-né. J'envisage de retourner au Mexique, de préparer l'ENA, de devenir vraiment mauvais garçon, de renoncer à la littérature et à la pensée. Et c'est alors que Brigitte, bonne fille, a le génie de se souvenir : « toi, d'abord, tu t'appelles pas Bernard mais Bernard-Henri ; alors voilà ; c'est simple ; tu n'auras qu'à signer comme ça ; ce sera suffisamment la même chose pour que tu ne perdes pas le bénéfice de " Mexique, nationalisation de l'impérialisme " et ce sera suffisamment différent pour qu'on ne te confonde pas avec ce salaud de mexicaniste du PSU – et en plus, ajoute-t-elle avec des gloussements de poule, Bernard-Henri... Bernard-Henri... ça sonne tellement plus chic... » J'ignore ce qu'est devenu l'autre Bernard Lévy dont je n'ai jamais, nulle part, revu la signature. Mais je sais que je dois à une gentille masseuse – largement perdue de vue, elle aussi – de m'appeler Bernard-Henri Lévy.

Il y a, et c'est un quatrième moi, la marionnette. Il y a, non plus la gueule que je me fais, mais celle qu'ils me font, qu'ils m'ont faite, à partir de ce que j'ai tenté de faire – il y a la façon dont les autres perçoivent mon masque savant et il y a le fait que c'est toujours, hélas, leur perception, donc la mécanique, qui gagne, puisque, des beaux efforts de l'écrivain pour se bâtir un beau personnage, il ne reste que cette lie, ce déchet, ce précipité de gueule qui s'appelle une caricature. Des poses. Des grimaces. Un ou deux mots d'auteur répétés jusqu'à la nausée. Dans le meilleur des cas, une silhouette. Dans le pire, un robot de soi. C'est l'histoire de Malraux parti pour réincarner D'Annunzio, Byron et Lawrence réunis et finissant dans la peau d'un clown lyrique, dévoré de tics et de poncifs. C'est celle de Montherlant piégé par la caméra lors d'un mémorable « Lectures pour tous » : ce visage terrible qu'il découvre, ces yeux craintifs, ces oreilles énormes qui lui font horreur, cette langue qu'il ne cesse de se passer sur les lèvres – il sait, à la minute, pourquoi on le hait et pourquoi on ne le lit plus ; il décide de ne plus se montrer, de ne jamais plus se laisser interviewer, mais c'est trop tard, c'est fini, son image l'a cannibalisé, elle l'a réduit et avalé. C'est l'histoire de tous les écrivains. C'est la mienne, quand je me laisse cadrer, découper, photographier comme un guignol. C'est « mon » guignol, dans l'émission du même nom – je dis, parce que c'est la règle et qu'il faut, paraît-il, être beau joueur : « mais oui... c'est très drôle... les modernes Daumier... les héritiers des chansonniers... la démocratie directe... le peuple face aux puissants, les invisibles contre les visibles... mieux vaut les " Guignols de l'info " que l'assassin de Versace... » Mais la vérité je la connais. Je déteste ce guignol. Je déteste, au-delà du guignol, ma marionnette. Ce cabot, ce robot, cet imprécateur pantinisé par les télés, emmagaziné dans la presse people, ce philosophe sur papier glacé dont je ne ferais à aucun prix mon ami et que, plus grave encore, je ne lirais pas s'il n'était moi, ce moi qui est moi sans l'être, qui me ressemble et que je déteste, je ne le trouve pas exactement odieux mais pathétique. Je l'appelle « BHL » et il est, j'en suis sûr, le pire ennemi de mes livres... Il n'est plus là, on dirait. Je me retourne pour vérifier – mais j'ai l'impression que le barbu n'est plus là. Et pourtant si. Le revoilà. Caché derrière l'étal du marchand d'épices et de pois chiches. Le marchand l'a arrêté. Il lui baise la main. Qu'est-ce que c'est que ce bonhomme, à la fin ?

Il y a la statue intérieure. Il y a ce cinquième moi, ce surmoi, qui est, à l'origine, un autre moi, le moi d'un autre, mais que j'ai assimilé, que je me suis incorporé et auquel je me suis finalement conformé. C'est lui qui, au tout début, m'a fait franchir le pas : « voilà, je prends le risque, je pose ma voix à côté de la sienne, je deviens écrivain. » Et c'est lui qui, ensuite, m'a fait persévérer, continuer contre vents et marées, m'entêter : « la meute ? la canaille ? la critique à l'estomac ? ce parfum, depuis vingt ans de règlements de comptes et de haine ? il y a cet Autre en moi, cet Absent qui me hante et me donne force et courage pour persévérer. » Althusser. Le vieux maître. Bernard Privat, mon premier éditeur. Jeanne Metzinger, le professeur d'anglais de Pasteur qui a cru jusqu'à la fin – et elle n'avait pas complètement tort – qu'elle m'avait « sauvé de moi-même ». Et Lui surtout, celui dont j'ai écrit, aux premières pages de la *Barbarie*, que je lui devais « l'essentiel » : mon tout premier lecteur, peut-être le seul qui comptait et je crois qu'il le savait ; il venait, à Esbly, le matin, avant que je me réveille, déchiffrer mes écritures de la nuit et, encore aujourd'hui, deux ans après – mon Dieu, deux ans ! – il reste l'Absent capital et, désormais, irrécusable. Car, parfois, cet Absent est déjà un écrivain. Mais parfois il ne l'est pas. C'est Nina, sa mère, pour Gary. Jorge Guillermo, son père, pour Borges. C'est Dante avouant qu'il a écrit *La Divine Comédie* pour entrevoir, une dernière fois, le sourire de Béatrice. Et puis c'est, encore, le contraire : des anti-statues, des gens très simples, très improbables ; Pessoa confessant qu'il doit « l'essentiel » à des « bandits » ou des « charlatans » ; Baron ; le pharmacien Benesti ; la caissière de l'épicerie de Bondy, pour Malraux ; celle de la pharmacie de Clichy, pour Drieu. Du rôle des pharmacies, ou du petit commerce en général, dans l'histoire de la littérature au XXe siècle ? Mais oui, bien sûr, pourquoi pas ? On n'insistera jamais assez, dans la vie de Malraux en tout cas, sur ce bruit de tiroir-caisse que la littérature devait venger. On ne dira jamais assez, dans la vie de chacun, l'extrême contingence du désir d'écrire, la trivialité parfois minuscule des statues. Ah ! si les statues pouvaient parler ! Si les écrivains consentaient, là aussi, à dire la vérité !

Premier bluff : la majesté de la statue ; « ma famille ? ma vraie famille ? oh... Goethe et Shakespeare... Byron et Homère... » – grands ancêtres pour grand écrivain, généalogie fabuleuse pour entreprise sans précédent ; comme si le dehors et le dedans, l'œuvre et son ressort caché, la statue extérieure et l'intérieure devaient être coulés dans le même alliage ; Baron ? mais non ! Nina ? allons ! toutes les petites statues qui sont la vérité de la décision d'écrire ? effacées, occultées, au bénéfice de la cuisse de Jupiter d'où, tous, nous serions issus !

Second bluff, l'illusion de la permanence : « une statue intérieure, une seule, tout au long de la vie, comme les Romains. » Mensonge, là aussi ! Truquage ! Car les statues meurent aussi. Elles bougent, elles se déplacent et, fatalement, elles meurent aussi. Plusieurs statues selon les âges de la vie. Plusieurs, selon les saisons de l'œuvre. En sorte que la seule autobiographie véridique serait celle qui irait toutes les exhumer : les statues que j'ai bazardées parce que j'ai changé et qu'elles ont cessé de me ressembler (Camus, par exemple : si important il y a vingt ans, à l'époque de mes livres de combat ! je ne partais jamais à la bataille, je ne commençais jamais de répondre à Julliard, Vidal-Naquet, Castoriadis, mes adversaires de l'époque, sans avoir relu quelques pages des *Actuelles* – ma leçon de style et de courage, ma vitamine) ; celles que j'ai tendance à renier parce que ce sont elles qui ont changé, ou la perception, du moins, que j'en ai – elles sont devenues inavouables, presque absurdes, ce sont des dettes que l'on efface comme on brûle une créance douteuse (Mitterrand, justement ; l'effort de pensée qu'il me faut faire pour, sous le masque du Président, ami des Serbes et de Bousquet, retrouver l'autre visage : celui de l'exquis compagnon, de l'esthète, qui venait, chaque année, rue de la Chaise, fêter mon anniversaire et à qui j'ai apporté, en pleine union de la gauche, les premières épreuves de la *Barbarie*) ; celles, enfin, qui m'ont tellement inspiré que je me les suis incorporées – elles font réellement corps avec mon corps et il faut un vrai travail, là aussi, pour en isoler la voix, la distinguer. (Solal ; pas Cohen, Solal ; le judaïsme de Solal ; la vraie alternative, pour un garçon de ma génération, au judaïsme souffrant tendance Wiesel ou au judaïsme-qui-n'existe-qu'en-vertu-du-regard-de-l'autre dont Sartre nous léguait la théorie ; ma fierté quand Cohen commençait ses lettres par « cher Solal » ; mon émotion quand il les terminait par le rituel « salut, prince de Samarie » ; devoir une part de ce que je suis – et quelle part ! – à un personnage de roman, un être de papier ? bien entendu...)

Histoire vraie de mes statues. Archéologie de ces déménagements, chambardements, remue-ménage incessants, qui font la vie intérieure d'un écrivain. Autobiographie numéro 5 qui serait aussi l'occasion, tant que j'y suis, de ressusciter la figure des quelques-uns qui m'ont donné, en ce temps-là, le sentiment foudroyant du génie : Christian Jambet, avant sa conversion aux études islamiques – était-ce une telle affaire, quand on tutoyait Kant et Hegel, et qu'une génération vous tournait autour comme papillons autour de la lumière, d'aller « succéder à Corbin » ? François Rivenc : il paraît qu'il végète dans un CES de la région parisienne mais je garde, moi, l'image d'un jeune Lamartine haranguant son assemblée de républicains dans la cave de l'infirmerie de l'Ecole – inexplicable mystère de cette saison de grâce, de ce moment d'éblouissement bizarrement sans lendemain. N., notre Rimbaud, deux ans d'extralucidité, peut-être trois, « ne vous fiez pas à son visage poupin », avait dit Lacan en plein séminaire et c'est l'époque où un mot de Lacan, au séminaire, faisait plus pour une gloire qu'une heure de prime time à la télé – et puis, à mon retour du Bangla-Desh, je n'ai jamais bien su ce qui s'était passé, un autre homme, d'autres goûts : hétérosexuel, marié, quarante kilos de moins, la pruinosité des joues envolée et, comme si l'obésité, la pédérastie et les joues avaient été, en effet, consubstantielles à son génie, une démission si totale qu'il n'ambitionne plus que de conseiller un obscur ministre pompidolien. David Kaisergruber enfin, patricien du marxisme, peut-être le plus brillant d'entre nous : je le revois, le jour de la rentrée des hypokhâgneux, expliquer à sa cour, dans la galerie des « prépas » de Louis-le-Grand, que Sartre et Pompidou étaient, chacun à sa façon, le prototype du normalien qui a raté sa vie ; il mettait, lui, si haut la barre qu'il s'est suicidé pour de bon, une nuit, on n'a jamais bien su pourquoi. « Ce sont les meilleurs qui partent en premier », aurait dit le Général à Gary en 44. Il avait raison, bien sûr – et pas seulement en temps de guerre ; ce sentiment, que j'ai toujours eu, d'avoir pris la place de trois ou quatre autres. Oh ! pas ceux que croit la maison de la culture ! Pas les bourdieusards gommeux et arrivistes qui, si ces « trois ou quatre » avaient duré, n'auraient, eux, pas eu l'ombre d'une existence ! Non. Les vrais naufragés de Mai 68, les brisés par l'établissement en usine, les suicidés tout court, les définitivement pas dans la course, ces absents gigantesques qui nous dominaient tous et dont, tous, nous usurpons le rôle. J'aimerais, à ceux-là, rendre l'hommage qui leur revient. J'adorerais, dans un livre, leur ménager un petit autel. Le vrai livre des comptes. Celui des statues et des piétés. Ce que je dois avant ce que je crois. Et le véridique portrait d'une génération – les vivants mais aussi les morts, les disparus autant que les présents. Tiens ! Un deuxième but pour le Maroc !

Il y a le moi mis en sommeil – cette part, très ancienne, de moi qui vient à la rencontre d'un vieux maître dont les autres moi ne savent rien et se croient les ennemis : « cherchez pas, il leur dit ! private affair entre le vieux maître et moi ; il était une fois un moi qui était son disciple ; il était une fois un moi très-profond, à la fois très jeune et très ancien, qui, plus encore que son disciple, était son contemporain ; c'est un moi d'avant la marionnette ; c'est un moi du temps où il n'y avait pas encore de personnage ; c'est un moi différent, méconnaissable, presque homonyme des autres moi, mais c'est quand même un moi ; il a, comme n'importe quel moi, son poids, sa vivacité propre, ses exigences ; et c'est lui qui, tout à l'heure, au Continental, sera instantanément requis, réactivé comme un agent dormant – c'est lui dont la voix, inchangée depuis trente ans, gelée, viendra, comme par enchantement, couvrir vos autres voix pour s'adresser à son vieux maître. » Des moi très-profonds de cette espèce, des moi qui n'existent et ne ressuscitent qu'au contact d'un vieux maître ou d'un autre personnage de même poids, j'en ai, en moi, toute une foule – autant, en bonne logique, que de personnages ou d'événements de cet acabit.

Il y a le plus profond de ces moi très-profonds – je n'ai qu'à l'appeler le « moi plus-que-profond » : c'est celui de ma naissance, de mon origine « naturelle » et « biologique ». Le premier geste d'un écrivain n'est-il pas de se distancier de cette origine, de l'enfouir, de la romancer ? L'aventure ne commence-t-elle pas, toujours, par une réécriture – le vieux maître dira : un « palimpseste » – qui duplique le lieu de la naissance, répète la scène primitive, substitue, en un mot, un commencement à une origine ? Et qu'est-ce que la littérature sinon le corps à corps avec ce moi plus-que-profond : ceux qui, acceptant d'écrire sous sa dictée et de n'être que l'appendice pensant d'une matrice toute-puissante, ne feront jamais qu'une sous-littérature indigène, folklorique – ceux qui, refusant sa dictature, en seraient presque, si on les laissait aller jusqu'au bout, à décider eux-mêmes du lieu, de l'heure, des circonstances de leur propre conception ? Il n'y a d'écrivain que baptisé. Le nom de famille des vrais écrivains : « les baptisés ». Je devrais prendre l'habitude de dire, au lieu des écrivains, « les baptisés ». Encore que... Contre-exemple de Camus qui a tardé à sortir de Belcourt et n'est pas, pour autant, un écrivain indigène ou régional... Faulkner et son Sud... Giono et *Pour saluer Melville*... Piero della Francesca qui se voyait comme un peintre de village, enraciné dans Borgo San Sepolcro... Ce visage rond. Ces petites lunettes. Cet air de lassitude savante. Ce nuage de tabac. Ce cigare. Sa tête me dit quelque chose. Mais quoi ? Où ai-je bien pu voir un Marocain fumer le cigare en pleine rue ? J'adore les cerises quand elles sont comme ça, très grosses, presque des prunes, on dirait les fruits d'or du jardin des Hespérides. Est-ce que les Hespérides ne sont pas dans le coin, d'ailleurs ? Au sud de Tanger ? Non. Pas maintenant. Pour le temps des fruits d'or, attendre le vieux maître. Ça donnera une entrée en matière facétieuse. Insolente. Ça permettra de faire le farceur : « olé, vieux maître ! temps des cerises ! tralala ! » Il aimait les cerises, je me le rappelle aussi.

Il y a, si je reviens au sein du moi profond, le partage entre deux moi : le moi qui sait qu'il ment – celui qui croit qu'il va dire la vérité ; lequel est le plus vrai ? lequel, le plus fictif ?

Il y a le moi vraiment profond ou qui, du moins, prétend l'être ; et il y a le moi qui ne croit pas à la profondeur et qui, même s'il y croyait, n'en voudrait pas – « si je fais de la littérature, dit ce moi-ci, ce n'est pas pour mettre bas le masque, dévoiler mon vrai visage, etc. ; je me forge un nouveau masque, au contraire ; j'écris pour avancer masqué, délibérément et définitivement masqué ; jusqu'à mes tentatives de sincérité – *Les Aventures*, *Le Jour et la Nuit* – qui n'étaient qu'un autre moyen, pervers, de reculer les frontières du secret. »

Il y a le moi d'où les livres procèdent et qui est comme un gisement, une nappe phréatique où l'écriture aurait foré – il y a celui qui est le produit des livres, le pur effet des textes, une sorte de djinn sorti, comme dans les contes tangérois, de la bouteille à l'encre du roman : le moi du *Diable en tête* ? l'inventeur de Benjamin ? y avait-il un moi qui, en moi, pouvait enfanter un fils de nazi français, fusillé à la Libération ou est-ce lui, Benjamin, qui a engendré le moi censé l'avoir produit et qui a donc été l'auteur de son auteur ? Question théorique sans doute mais dont dépendit, plusieurs mois durant, rien de moins que ma santé mentale : ma stupeur quand, le récit achevé, j'ai compris que je m'étais incarné en cela... mon effroi... ma haine du livre et de son succès... ma difficulté extrême à en parler... la tentation de le renier, de le détruire... mais il était là... il se multipliait... il croissait... et pas d'autre ressource que de saboter, alors, les deux ou trois projets d'adaptation cinématographique : la tentative de Martinez ; le pauvre Bertolucci, au bar du Pont-Royal, qui ne s'attendait probablement pas à me trouver si « raide » ; ma chère, mon adorable Françoise Giroud, à qui il faudra bien que je dise, un jour, le pourquoi de ma violence contre son début de scénario... et puis la paix, enfin, quand j'ai pu me raccrocher à l'hypothèse « djinnesque » – un moi qui n'était pas en moi mais, à la lettre, hors de moi puisque c'est l'écriture, seule, qui l'avait enfanté.

Il y a – dans le moi profond, toujours – le moi qui se conforme au regard d'autrui et compose avec le « personnage », la « marionnette », etc. : on l'appellera « le laquais » et c'est toute l'histoire de Gary après son Goncourt et avant Ajar ; c'est celle de Hemingway, esclave de sa légende ; c'est la solution de facilité pour l'écrivain qui se dit : « j'ai une image, j'en profite ; je la laisse me dicter ce que je suis supposé dire, sentir, croire et penser ; je suis comme le lierre, grimpant le long de son tuteur ; c'est une telle volupté d'avoir un tuteur et de se contenter de grimper avec lui ; c'est tellement simple. » Et il y a le moi rebelle – celui qui se dérobe, refuse et le personnage et la marionnette : un coup d'épaule, un écart, et hop ! on est dans Ajar ! on écrit « Au-delà du fleuve et sous les arbres » ! on a juste dit à sa légende : « pousse-toi de là que l'autre s'y mette » et l'autre est là, merveilleusement neuf, dégagé du tuteur et de sa directive, il faut très longtemps pour devenir jeune, il y faut la science de la métamorphose de Picasso, celle du dernier Matisse et de ses papiers collés, ou celle, encore, de Malraux quand, à l'avant-dernière heure, seul, assis par terre, dans le grand salon de Boulogne, au milieu des reproductions d'œuvres dont il va faire son univers des formes, il s'invente une identité plus déroutante encore que l'était celle du gaulliste au sortir du compagnonnage avec les communistes.

Il y a le moi nocturne, quand je dicte mon journal au répondeur de J. : libre soudain, affranchi des scrupules du jour, mes vigilances mises en sommeil, épars, un aveu par page. Et puis le moi diurne, aussi vigilant que l'autre est insouciant, aussi censuré que l'autre était libéré : c'est aussi un moi profond, mais c'est une profondeur truquée, menteuse, c'est un moi qui estime que la tentation de la sincérité est la pire des tentations. Le barbu est toujours là, ma parole ! Ses pas, emboîtés dans les miens. Son regard dans mon dos. Et cette nuée d'enfants qui, tout à coup, l'entourent. Ils sont comme un petit cortège. Un essaim qui se déploie. Mais non. Je rêve encore. Ils jouent, simplement. Ils ne font pas attention à lui. Bon. Allez. Enfants ou pas, la plaisanterie a trop duré. A droite toute. La rue de la Synagogue où il ne me verra pas entrer, et puis la Bijouterie de Paris. Ou plutôt non. Carrément la rue d'Italie. Puis la kasbah. Je suis en avance, finalement. Et retour au petit Socco. Si je ne le sème pas avec tout ça...

Il y a Stendhal écrivant, sous deux identités différentes, ses romans d'une part, ses histoires de la peinture et de la musique d'autre part. La rumeur de la ville. Il faudrait que je m'amuse un jour à décomposer la rumeur de cette partie de la ville : la mer dans le lointain ; un fond de vent ; le cri des martinets qui volent bas, comme tous les soirs ; la clameur indistincte des marchands ; celle de la plage, plus loin, mais étrangement plus sonore, avec les cris des enfants qui jouent au foot ; l'aboi des chiens ; une flûte ; la sirène d'un bateau qui entre dans la baie ; le choc des grues qui déchargent un autre bateau ; le vrombissement continu des voitures ; des klaxons démodés, qu'on n'entend plus à Paris et qui me rappellent mon enfance ; le chant d'un coq ; un bêlement de chèvres ; une mélopée ; un autre coq, plus proche ; tout cela à la fois très sourd, très feutré, comme une nappe de bruit qui m'enveloppe – et puis distinct, étrangement séparé, comme sur les pistes d'un film non mixé. Il y a Kierkegaard affichant, en la personne de Victor Eremita, Nicolaus Notabene, Frater Taciturnus ou Johannes de Silentio, autant de moi profonds dotés, chacun, d'un imaginaire et d'un monde. Il y a Borges, las de lui-même, inventant, avec Bioy Casares, un vrai nouvel écrivain qu'ils appellent Bustos Domecq. Il y a l'aventure de Pessoa qui, de sang-froid, et en les dotant, chacun, d'une date de naissance et d'un acte de décès, d'un monde et d'un arrière-monde, d'un « moi profond », d'un « moi très-profond » et d'un « moi plus-que-profond », d'une voix, d'un métier, d'une statue intérieure, d'une politique et d'un moi social, bref d'une entière panoplie et même d'un horoscope, produit ses trois grands hétéronymes : Alberto Caeiro, Alvaro de Campos, Ricardo Reis – puis, presque aussi bien dotée, la troupe des petits : Teresa Rita Lopes n'en a pas dénombré moins de 72 ! Où en suis-je ? Combien de vies dans une vie ? Il y en a tant que je perds le compte. Badaboum ! Ils ont encore marqué, on dirait ! 3-0 ? Ça va être la fête, ce soir, dans la kasbah ! la liesse sur le Socco ! C'est le contraire de l'affaire Shakespeare, dit Tabucchi. Shakespeare : plusieurs auteurs pour une seule œuvre. Lui, Pessoa : plusieurs œuvres dans un seul auteur, plusieurs âmes hantant le même corps, se le disputant, s'y affrontant, dans une sarabande dont nul ne pouvait avoir idée en voyant, chaque matin, le brave petit employé, son feutre sur la tête, la moustache bien astiquée, rejoindre son bureau du Bairro Alto, où il allait passer la journée à remplir des bordereaux commerciaux – la preuve, encore une fois, que les vrais grands écrivains sont « différents, non des autres, mais de soi ». Une phrase du vieux maître ? Peut-être. Souvenir vague. Non, d'ailleurs, pas forcément ; c'était une fausse joie, on dirait : un penalty qu'ils ont dû bêtement rater, ou l'arbitre qui joue contre le Maroc, ils ont l'air déçus, tout à coup, scotchés à leur écran – c'est assez beau, ces visages qui ne sont plus éclairés que par la luminosité de la télé.

Il y a le moi que personne ne connaît, pas même moi.

Il y a le moi qui sait de moi ce que, moi-même, j'ignore.

Il y a le nom que le Ciel m'a donné et qu'il est le seul à connaître – comme dans le poème de Thomas Eliot, le dernier nom du chat : non celui de son espèce ; ni celui dont ses maîtres vont le doter ; mais cet autre nom, qu'il est seul à savoir et qui, dit Eliot, est son vrai nom.

Il y a le moi qui, en moi, s'agace de cette sarabande : allons ! ça n'a pas de sens ! je sais bien, moi, qu'il n'y a qu'un moi et que c'est moi ! ce sceptique, ce cartésien, cette âme raisonnable, arc-boutée à l'idée simple que « je pense donc je suis » et que « si je pense c'est que je suis », je l'appelle « ergosum ».

Il y a le moi qui s'en agace aussi mais qui, fidèle au bon vieux principe, feindra d'être l'organisateur du mystère qui le dépasse. Souffleur, metteur en scène, orchestrateur, n'importe, je l'appelle le régisseur : c'est, de nouveau, un autre moi et peut-être l'est-il, après tout, régisseur – peut-être y a-t-il réellement quelque part, dans un coin reculé du cerveau, une sorte de salle des machines ou de régie finale ; peut-être ai-je dans la tête l'équivalent d'un grand mur, couvert d'écrans de contrôle, avec, sur chacun, la vision d'un de mes moi ; et peut-être faut-il imaginer, aux commandes, un maître des écrans répartissant les temps de parole, distribuant les présences, décidant, à chaque seconde, lequel de ces innombrables moi il laissera passer jusqu'à l'écran final – lancement de la marionnette, plan de coupe sur la statue intérieure, contre-plongée sur le moi très-profond, tunnel d'ergosum, retour au moi profond et ainsi de suite ; jadis, au temps de BHL et de la marionnette toute-puissante, je me disais toujours, lorsque j'allais à « Apostrophes » : peu d'hommes ont autant d'empire, au moins sur mon image, que cet invisible qui, « en régie », les yeux fixés sur ses écrans, peut choisir de cadrer mes mains, enregistrer mes répliques ou mes silences, me mettre hors champ, me récupérer dans le champ ; pourquoi n'en irait-il pas de même dans ma vraie vie d'aujourd'hui – pourquoi n'y aurait-il pas un moi qui, en moi, régnerait sur le peuple des moi et aurait le fabuleux pouvoir de réaliser en direct, comme une sorte de puzzle ou de produit de synthèse, le visage de l'écrivain que je suis ?

Il y a ce visage – composé final de tous mes moi.

Il y a le film de ces visages – succession de ces composés, de ces moi synthétiques instantanés.

Il y a encore – en vrac – l'orthonyme Pessoa qui, en portugais, signifie « personne » et dont on pourrait supposer – certains l'ont fait – soit qu'il n'a jamais existé, soit qu'il n'a été qu'un hétéronyme parmi les autres. Il y a le moi de l'expérience intérieure – éminemment littéraire et pourtant, dit Bataille, rebelle à l'écriture. Il y a le moi Minotaure de Barthes, tapi au cœur du labyrinthe. Il y a le moi de Flaubert qui n'est jamais, disait Sartre, si insincère que lorsqu'il dit « je ». Il y a Stendhal encore qui invente le pseudonyme d'Henry Brulard quand il entreprend de raconter la véridique histoire d'Henri Beyle. Il y a les moi du passé. Il y a tous ces moi passés qui ne veulent pas passer – « je suis là, disent-ils ! je veux en être ! je veux, encore et toujours, participer au tour de table de la vie ! » Il y a les faux moi, agents du moi des autres – chevaux de Troie, en moi, du monde extérieur, cinquième colonne. Il y a ces « détecteurs espions » dont Artaud dit, dans sa conférence au Vieux-Colombier, qu'ils représentent « l'esprit de parti » et qu'ils « ne cessent ni jour, ni nuit, de muffler notre conscience, d'y introduire leur bouche torse ». C'est une légion, un écrivain ! Un maison de fous ! Un rendez-vous d'aliénés et une ferme des animaux ! C'est une ménagerie de vices et de vertus ! Une grange sans toit ni plancher, ouverte aux quatre vents ! Un dédale ! Une coterie ! Un trou noir ! Un château hanté ! Une volière ! Et je me marre quand je pense à ceux qui, face à ça, face à cette pluralité des âmes, nous font le coup de l'écrivain singulier, arc-bouté sur sa singularité infracassable, résistant, romantique. Résistant à quoi, je vous le demande ? A qui, à quoi, peut-on résister quand on est en proie, soi-même, à ce démon de la division ? Le moi social résiste au moi profond. Le moi profond au personnage et à la marionnette. Le moi plus-que-profond au moi très-profond qui, si on laissait faire, le destituerait. Ergosum aux hétéronymes. Le moi rebelle au laquais. Le régisseur à la statue intérieure qui résiste elle-même aux autres statues intérieures. C'est une guerre civile, un écrivain. Une guerre de tous contre tous. Une mêlée. Le vrai livre à écrire, le *Contre Sainte-Beuve* de notre temps, serait un livre qui ferait dialoguer ces personnages, orchestrerait leurs dissensions, leurs complicités, leurs alliances tactiques et de circonstance – c'est un livre qui, en un mot, les traiterait comme on traite des personnages de roman. Proust ne comptait-il pas faire de son *Contre Sainte-Beuve* un roman ? Pourquoi ne pas faire un roman de cette comédie humaine qu'est, à soi seul, un écrivain ?

Je crois que je l'ai semé, cette fois. Je ne connaissais pas cette rue mais, visiblement, lui non plus. Palissades borgnes. Arcades désertes. Vieilles villas abandonnées, envahies par les ronces. J'imagine, autrefois, du temps du Tanger international, un armateur américain avec grands repas familiaux, le soir, sous la tonnelle. Ou bien une maison anglaise, balcon colonial derrière le rideau de cyprès, serviteurs en veste blanche, enfants blonds dévalant le grand escalier. Il y aurait encore le décor. Je veux dire les lecteurs. La pluralité de moi qui compose, aussi, un public de lecteurs. Ses exigences. Ses attentes. Ses désirs contradictoires, ses colères. Et, en chaque lecteur, en chaque âme qui va me lire, une autre pluralité d'âmes, une sarabande adverse ou parallèle, qui entre en résonance avec la mienne et complique encore le dialogue.

Proust, justement, sur la digue de Balbec. Il ne sait pas bien qui, de lui, est là – si c'est le moi de Méséglise ou celui de Guermantes, le moi social à la recherche d'une bonne fortune ou son moi d'écrivain occupé à prélever des traits pour une page de *Sodome et Gomorrhe*. Mais voici un groupe de jeunes filles qu'il prend d'abord pour des « coquettes » fiancées à des « cyclistes », puis pour des personnes plus complexes, chacune dotée d'un moi, et chaque moi doté d'une série de moi qui se mettent à faire, chacun, écho à l'un des siens : et c'est comme un autre ballet qui se déclenche – où tous ses moi à lui s'allient, ou s'opposent, à tous leurs moi à elles. Je ne suis pas seul, non plus, à être moi, voilà ce que dit Proust. Je ne suis pas seul, non plus, à être un autre. Le moi d'un écrivain n'est pas comme une corde que l'on pincerait, à volonté, sur un instrument isolé et souverain. Et sauf à se résoudre à n'être pas lu du tout, ou sauf à imiter Raymond Roussel qui avait cru résoudre le problème en composant, chaque soir, au théâtre, le public des pièces qu'il tirait de certains de ses livres, il faut se résigner à cette seconde série d'interférences, cette multiplication par deux des assonances – ce sont deux asiles de fous, deux coteries, deux ménageries, qui entrent en résonance et dont une histoire de la littérature digne de ce nom devrait ajouter les correspondances au nombre, devenu logarithmique, des figures de cette guerre cérébrale. Balbec et moi... Les moi de Balbec et les miens...

La rue monte, maintenant. J'aurais dû prendre tout de suite à droite. J'ai le chic pour les raccourcis qui allongent. Ce bruit de crachat, derrière la palissade... Ce mur de pierre chaulée, barbouillé d'inscriptions très anciennes... L'idée d'un livre en marchant, pourquoi pas ? Mais gaffe à la marche, dans ce cas. On ne marche pas – on ne *pense* pas – de la même façon selon qu'on monte ou qu'on descend, dans une rue déserte ou pleine de gens, dans la ville, sur une plage, en forêt. Il y a l'hypothèse Tanger. Mais il y a aussi Bussaco, la forêt de Bussaco, près de Coïmbra, au Portugal. Je ne sais pas. Je suis si triste. Si fatigué. Je crois bien, oui, que je l'ai semé.

5

Dialogue du moi social et du moi profond. Ça communique plus que tu ne crois, dit le moi social avec son épais bon sens ; sais-tu que Pessoa décide de multiplier ses hétéronymes quand il comprend que la femme qu'il aime ne lui donnera jamais d'enfants ? Alors il dit « tant pis, je m'en passerai » et il fait, seul, à la chaîne, parthénogenèse monstrueuse et frénétique, sa pléiade de marmots qu'il enferme dans une malle. Et le moi profond, qui répond : où as-tu pris cette sottise ? que ça « communique », je veux bien l'admettre ; mais bien plus passionnant, dans ce cas, le trajet inverse – quand c'est moi, le moi littéraire, qui viole la frontière et envahis le moi social ; quand Pessoa, par exemple, écrit à Ophélie et qu'il attribue à Alvaro de Campos, double fictif, les passages pédophiliques de ses lettres ; « ce n'est pas moi, proteste-il, qui suis l'auteur de ces insanités ! c'est Campos, mon ami Campos, qui a pris ma place et parle en mon nom ! » et la petite Ophélie de gémir, de pleurer : « je n'aime que Fernando Pessoa ! je n'aime que Fernando Pessoa ! » ; mais Campos est là, il ricane dans la barbe de Fernando, hé hé hé, revanche de la littérature sur la vie, c'est un vrai ménage à trois.

Ergosum aux deux précédents et, en fait, surtout au second. C'est ma thèse. Toute cette affaire ne fonctionne pas. Et les choses, dans la vie d'un écrivain, sont bien plus entremêlées. La littérature et les femmes, par exemple. *Ta* littérature et *tes* femmes. Ton premier livre, sur le Bangla-Desh, dédié à l'une « malgré ses Indes » – quel aveu ! Ton second livre, *La Barbarie*, dédié à la seconde, S., « depuis six cents ans » : faut-il raconter l'histoire vraie de ce second livre et de sa dédicace énigmatique ? un jeune homme amoureux ; une femme enlevée à un autre et qu'il faut tout bêtement occuper ; Hallier sur un lit d'hôpital ; vous êtes amis, en ce temps-là ; il est éditeur et vous êtes amis ; il vient d'être opéré d'un méchant cancer des couilles, il s'en remet à peine mais, comme vous êtes amis, tu vas le voir et tu lui dis : « j'ai rencontré une fille très belle, j'ai peur qu'elle ne s'ennuie, il n'y a que toi qui puisses m'aider, c'est-à-dire la faire travailler pour l'occuper » ; et lui qui, pas gêné par ta mentalité de maquereau, répond du tac au tac : « OK, mais contre un livre ; tu m'écris un livre et j'emploie la fille ; un salaire contre des pages ; pas de pages, pas de salaire ; je viendrai, chaque mois, chercher mes pages et, chaque mois, elle aura son salaire » ; Shylock contre maquereau ; version moderne du *Marchand de Venise* ; diable amoureux, sur sa blanche page penché, écrivant *La Barbarie* pour les beaux yeux d'une femme ; le livre qui, pour finir, doit le principe de son existence à ce premier contrat amoureux ; et la « nouvelle philosophie », le tumulte qui a suivi, les polémiques, la couverture de *Time Magazine*, les débats avec Poulantzas et Debray, François Mitterrand et le PCF, les communistes russes, cubains, espagnols, italiens, tout cela, tout ce formidable remue-ménage idéologico-politique déclenché par une pure histoire d'amour ; comment peux-tu prétendre, après cela, que la littérature ne doive rien à la vie ? Et puis la troisième enfin, la vraie femme de ta vie, celle dont tu aimes dire que les précédentes n'étaient que les annonciatrices – ah, non ! ne recommençons pas ! ne viens pas encore raconter que ce n'est pas toi qui l'as dit, mais l'autre, le vivant, le moi ceci, le moi cela ! ce que je sais, moi, c'est qu'elle est, cette vivante, le vivant brouillon de tes romans, leur inspiratrice, leur source jamais citée : Mathilde... Marie... la Jeanne du *Baudelaire*... sans compter, bien entendu, Laure, « Mademoiselle Maud » ou même Sonia... ces heures passées à l'observer, la faire parler, l'écouter... les imbéciles qui s'émerveillaient que tu fasses si bien parler les femmes... la villa Bonnello... le boulevard de la mer, à Venise... Torcello... les parcs de Lausanne... le Mexique et ses impiétés... la première nuit, au Duomo, à Milan... l'étrangère... l'ouragan... « vous êtes le seul homme qui puissiez me sauver de etc.... » ces aveux qui te terrifient, te font fuir et, en même temps, te rappellent et te lient... ton effroi et ton émerveillement... le recul et l'attrait... le mystère de cette vie qui s'offre, déjà structurée comme un roman... une mine, tu te dis... un trésor... n'y a qu'à se baisser, tendre l'oreille, ramasser... du rôle en littérature des femmes qui n'écrivent pas ? ah ! oui, parlons de ce rôle ! parlons du pacte d'immortalité censé se nouer entre Scott et Zelda, toi et A. ! ces femmes que l'on met dans ses livres parce qu'elles sont déjà comme des livres, ces femmes comme des gisements ou comme des geysers, est-ce qu'on les immortalise ou est-ce qu'on les cannibalise ? est-ce qu'on les statufie ou est-ce qu'on les consume ?

Le moi plus-que-profond au moi profond : ton affaire d'occultation n'a pas non plus de sens ; on n'occulte pas davantage une origine qu'on ne forclôt un inconscient ; ou alors, gare au retour du refoulé! bonjour les dégâts de l'origine, non pas enfouie, mais déniée! vois le cas J.-P.; type même de l'écrivain qui en a trop fait et qui a passé vingt ans de sa vie à tenir à distance son origine, la barrer, la recommencer; il a peut-être échappé à la littérature de terroir mais ce fut pour retomber – jusqu'à la mort du père qui, comme par hasard, a tout dénoué – dans l'autre piège, symétrique, qui est celui de l'impuissance d'écrire et de sa douleur infinie; l'origine est toujours là; elle continue de te hanter, de te tirer les pieds la nuit; tu crois l'avoir étouffée, cerclée de plomb, tchernobylisée – mais c'est comme un émetteur enterré qui continuerait de diffuser ses radiations malignes. *Le moi profond :* tout dépend; pas évident; j'ai fait l'expérience, il y a huit ans; je suis allé à Beni-Saf, ce petit port de l'Oranais où je suis né mais n'ai jamais vécu; A. était avec moi; elle avait une caméra, chargée d'enregistrer le moindre frémissement de mon être visible, confronté à ce que j'appelais « l'expérience barrésienne chimiquement pure »; de deux choses l'une, je me disais : ou bien l'être frémit et alors Barrès a raison : il existe, entre l'écrivain et son terroir, une sorte de lien secret, un peu sacré, que rien ne peut dénouer; ou bien rien ne se passe et c'est moi qui avais raison : ces affaires de naissance, d'origine, n'ont pas de sens et je suis justifié dans mon refus d'accrocher à de vieilles pierres je ne sais quels lambeaux de moi-même ; eh bien, rien ne s'est passé ; je suis retourné rue Karl-Marx, j'ai revu la maison de ma naissance, j'ai crié à une vieille Arabe qui m'observait du balcon, méfiante, derrière son tchador, « je suis un écrivain français, je suis né ici, je voudrais visiter », je suis entré, j'ai retrouvé la pièce au sol carrelé de noir où je suis sans doute né – et de tout cela (le petit film de A. est là pour en témoigner) je n'ai pas été plus ému que s'il s'était agi d'un autre. *Le moi plus-que-profond* : prenons le problème à l'envers ; soit un écrivain qui attend d'avoir quarante ans pour aller repérer le lieu de sa venue au monde ; il a fait le tour de la planète ; il est allé dans les endroits les plus improbables et les plus reculés ; mais cet endroit-ci, ce pays qui est le sien et qui se trouve – on l'a assez répété depuis, avec la montée de l'intégrisme et de ses tueries – à « deux heures d'avion » de Paris, il l'évite avec méthode, il le fuit, il fait tout pour qu'il demeure une terre inconnue, un point sur une carte, et encore ! il est si petit qu'il ne figure même pas sur les cartes et c'est donc un non-lieu, un être de raison, un point imaginaire dont il ne connaît ni la couleur ni l'odeur puisqu'il n'en sait que ce que lui en disent de vagues récits, des souvenirs reconstitués, des clichés jaunis ; eh bien je prétends que cette dénégation –

car c'en est une ! et de taille ! – a pour effet, dans sa pensée, la haine justement des couleurs et des odeurs, le refus des sources, racines et autres matrices, la défense hystérique d'une abstraction préférée, dans tous les ordres, à la figuration ou au naturel, la défense d'un idéal citoyen complètement désincarné, l'éloge du cosmopolitisme le plus échevelé, bref la construction d'une architecture philosophique soi-disant libre de tout déterminisme alors qu'elle est le déterminisme même – je prétends que *L'Idéologie française* est mon œuvre et que c'est moi, le moi plus-que-profond, qui en suis le véridique auteur : aucun « moi profond » au monde, aucun « intellectuel » ni « personnage », n'auraient fait de l'antipétainisme le cœur, non seulement d'une politique, mais d'une métaphysique s'il n'y avait, à l'origine, d'autant plus actif que violemment enfoui, ce beau village bleu, avec ses escaliers, son grand marché couvert, ses bicyclettes qui dévalent vers la plage, cette terrasse de café baignée de soleil jusqu'à la fin de l'après-midi où les oncles Hyamin, Messaoud, Moïse et Maclouf prenaient, paraît-il, leur dernière anisette. Il faudra, avec le vieux maître, parler de Beni-Saf.

« Ergosum » ou, plutôt, le régisseur à l'assemblée des « moi profonds ». Querelle plus que dialogue. Réglement de comptes

intérieur. La guerre, toujours. La fameuse guerre. Mais au-dedans de moi-même. Sans trêve. Assourdissante.

Le régisseur

Pourquoi une œuvre si diverse ? Ces essais et ces romans ? Cet auteur qui nous dit la gloire des idées – et qui, dans le livre suivant, dénonce leur vanité ? Peut-on jouer sur les deux tableaux de l'intellectuel pris dans son siècle, épris du monde et de ses combats – et, soudain, du retiré, du Tangérois exilé ? Et puis ce film surtout, cette absurdité de film qui, avec son histoire d'écrivain à bout de souffle qui s'enferme au Mexique pour y attendre la fin du monde, complique encore le jeu – était-il bien nécessaire, ce film, à l'auteur de *Bosna !* et du *Testament de Dieu* ?

Le moi profond du film

Campos était-il nécessaire à Pessoa ? Bustos Domecq à Bioy Casares et Borges ? Je suis un hétéronyme, moi aussi. Je suis vous, sans être vous. Bernard-Henri Lévy suffoquait dans sa peau d'intellectuel engagé. Il n'en pouvait plus d'être l'auteur de *Bosna !* et du *Testament de Dieu*. Alors, pour explorer l'autre face de lui-même, pour donner la parole à celui qui, en lui, rêvait d'exil et le redoutait, il a changé une nouvelle fois de genre et s'est conjuré avec le plus saturnien de ses amis pour, ensemble, inventer un nouvel auteur et, avec les mots de cet auteur, produire un Alexandre qui...

Le régisseur (le coupant)

Invoquer Borges et Pessoa pour justifier cette farce, quel culot !

L'assemblée des moi profonds
(en chœur)

On croit rêver ! Quel culot !

Le régisseur

Il a déçu nos lecteurs, voilà ce qu'il a fait ! Il a désespéré Balbec, voilà toute son aventure !

L'assemblée des moi profonds
(toujours en chœur)

Toute son aventure !

Le régisseur

Car vous voulez savoir ce qui s'est passé ? Pourquoi l'histoire s'est si piteusement terminée ? C'est aussi simple que cela ; votre brillant hétéronyme a donné une image de soi qui n'entrait en résonance avec rien de ce qu'attendait Balbec. Il y avait une attente, à Balbec. Il y avait une demande à Balbec. Il y avait une image de nous, à Balbec, qui était ce qu'elle était. Elle n'était déjà pas bien facile à gérer mais, enfin, elle fonctionnait, elle finissait par se faire une légitimité – ce con est arrivé, il a tout brouillé, tout cassé.

L'assemblée

Ce con !

Le régisseur

On formait une petite mafia. On se partageait les quartiers de la pensée comme la grande mafia ceux de Tanger. Ça tournait. Ça marchait. Le commerce était florissant. Le lys, la cendre, faisaient recette. On avait même réussi, avec le temps, à faire avaler les écarts les plus criants – moi social et moi profond, grands hôtels et Sarajevo, l'amour des actrices et celui des damnés de la terre. Et voilà. Patatras ! L'irresponsable débarque et nous fourgue son histoire d'écrivain retrouvant, grâce à une femme, le goût d'écrire et d'aimer. Non seulement son film se plante, non seulement il passe pour un niais, mais il vous entraîne tous dans son naufrage, vous passez tous, avec lui, pour des niais.

L'assemblée des moi profonds

Tous ! Tous !

Le régisseur

Une seule solution, larguez-le.

L'assemblée des moi profonds

Une seule solution, lynchons-le.

Le régisseur

Qu'il ne soit jamais plus question de ce film ; qu'il soit comme s'il n'avait pas été.

L'assemblée des moi profonds

Un film ? Quel film ? C'est, déjà, comme s'il n'existait pas ! Il est effacé de nos mémoires, perdu pour les œuvres complètes – comme il sera, espérons-le, retiré des cinémathèques et des musées.

Le régisseur

Voilà. C'est cela. Nous devons donner des gages à Balbec. « C'était une erreur, un faux pas, nous n'y sommes pour rien, pardon, Balbec, du malentendu. »

L'assemblée des moi profonds

Pardon, Balbec, pardon. Ce n'était pas un moi profond, c'était un imposteur.

Le régisseur

Bien dire que nous ne demandons rien – ni réhabilitation, ni réparation.

L'assemblée des moi profonds

Qu'ils en fassent ce qu'ils veulent, oui. Qu'ils le défenestrent, le torturent, le hachent menu, l'enterrent vivant. D'avance, nous leur donnons raison.

Le moi profond du film (affolé)

Attendez !

L'assemblée des moi profonds

Non, nous n'attendons pas.

Le moi profond du film

N'allez pas si vite !

L'assemblée des moi profonds et le régisseur (ensemble)

Tais-toi ! Tu n'es plus des nôtres !

Le moi profond du film

Laissez-moi, une dernière fois, m'expliquer.

L'assemblée des moi profonds et le régisseur (toujours ensemble)

Pas d'explications ! Pas de dernière fois !

Le moi profond du film

J'ai besoin de temps. Un peu de temps. Le jour viendra, je le sais, où l'on reconnaîtra les vertus de ce film et où...

L'assemblée des moi profonds et le régisseur (encore ensemble)

Pas le temps ! Pas le temps ! On ne peut pas, tous, passer notre temps à payer pour tes conneries !

Le moi profond du film

Ce jour-là, je le sais, je retrouverai ma place parmi vous. Balbec aura compris. Balbec verra la cohérence de l'ensemble.

L'assemblée des « moi profonds »

Balbec ne verra rien. Car Balbec n'attendra pas. Balbec veut la cohérence, toute la cohérence, mais tout de suite.

Le moi du film, vaincu

Et si les grandes œuvres étaient celles dont la cohérence est, justement, ce qui apparaît en dernier ?

Dialogue sur Balbec. Il y a ceux, parmi les moi d'un écrivain, qui pensent qu'il faut courtiser Balbec. Et il y a ceux qui estiment que c'est un devoir de le désespérer. C'est la question des « disciples » : le disciple est-il le meilleur lecteur ou le pire ? l'ami de la pensée, ou un traître en puissance ? C'est la question de ce qui fait la puissance d'une pensée : sa capacité à unir ou à diviser ? à rallier ou à séparer ? une idée qui fait souche est-elle une idée forte ou une idée faible ? et quand un livre fait école, est-ce la preuve qu'il était important ou, au contraire, déjà banal, en règle avec l'esprit de son temps, sans danger ? Ou bien encore : comment une œuvre est-elle la plus grande – quand elle imprègne son époque ou quand elle lui reste étrangère ? quand elle entre dans son siècle ou qu'elle le traverse sans s'y mêler ? quel est le modèle le plus désirable : celui de la foule ou du fleuve Alphée ? du succès ou du poison qui attaque les âmes en secret ?

Dialogue sur la mort. Comment meurt un écrivain... Ce qui meurt en lui quand il meurt... Et puisqu'il est si nombreux, puisqu'il y a tant de vies dans une vie, toutes ces vies meurent-elles d'un coup ou bien petit à petit, une à une – comme dans la mort clinique dont on n'a jamais très bien su ce qui la signe : jadis on mordait le pouce, puis on a guetté le souffle, le pouls, l'arrêt des battements du cœur, puis, quand le cœur est devenu plus solide, presque immortel, l'activité du cerveau, la pupille, pourquoi pas la mémoire tant qu'on y est, ou le sexe, les ongles, les cheveux – chacun devrait pouvoir décider, à l'avance, lequel de ses organes attestera, le moment venu, qu'il est bien mort ? Les écrivains, donc. Les diverses façons qu'ils ont de mourir.

Cas où c'est le personnage qui meurt, mais où survit le moi profond (mon rêve !) Cas où c'est le moi profond qui s'éteint et le personnage qui persévère (le dernier Fitzgerald, tous ces auteurs exsangues, à sec, qui savent que la source est tarie mais continuent de « faire l'écrivain », de singer leur propre grâce). Cas où s'épuise un moi profond, mais où un autre prend le relais (métamorphoses de Gary, Malraux, etc.). Cas où on liquide un pseudo comme d'autres une entreprise (ce moment de vertige, en 1946, où Borges et Bioy comprennent que leur créature est en train de prendre le pouvoir et qu'il est urgent de l'étrangler). Cas où tout le monde est mort, vraiment tout le monde, le personnage, la marionnette, le moi profond, le moi très-profond, mais il reste un régisseur qui continue de gesticuler – général d'une armée morte, chef d'un orchestre décimé (le vieux Pierre D., tellement ringard, quasi clochard, son propriétaire qui le chassait, ses voisins qui le méprisaient, les éditeurs et directeurs de journaux qui, le pensant mort, et croyant à une blague, ne le prenaient plus au téléphone : quand j'ai compris ça, et quand j'ai vu, surtout, qu'il restait un D. qui, en lui, croyait, ou feignait de croire, qu'il était toujours le même grand auteur tardant à donner son prochain best-seller, faisant le malin, la star, l'écrivain qui part à la campagne pour écrire « incognito », j'ai fui à toutes jambes, j'ai renoncé à prendre l'appartement – j'en aurais pleuré). Et lorsque meurt une statue intérieure ? n'est-ce pas un peu de moi qui meurt, quand meurt une statue intérieure ? J'ai le souvenir très précis du jour où est morte, en moi, la statue althussérienne. C'est en 1971. J'écris, dans une maison du Lubéron, mon livre sur le Bangla-Desh. Hélène, sa femme, l'accompagne. Elle porte, du matin au soir, le même grotesque mouchoir sur la tête, noué aux quatre coins. Elle le houspille, le reprend sans cesse, le traite comme un bébé ou un malade. Ce n'est pas possible, je me dis : elle lui parle comme la veuve Aupick au dernier Baudelaire, il va se fâcher, l'envoyer promener, et ce n'est pas possible. Et le dernier soir, en effet, il disjoncte : drelin, drelin, il agite la sonnette de table, brandit son soulier comme un marteau, se ravise, se fait une moustache avec son couteau plein d'aïoli... « Non dit-il, je ne suis pas Khrouchtchev mais Staline ! Joseph Staline ! vive le grand Staline, théoricien de la lutte des classes ! » Après quoi il s'effondre dans son assiette, un peu d'écume aux lèvres, marmottant des propos incohérents – tandis qu'Hélène lui fait une piqûre et dit qu'ils iront, le lendemain, dans leur maison de Gordes, tout près. J'ai compris, ce soir-là, que mon très grand théoricien, mon vrai vieux maître en marxisme, celui dont la rationalité glacée m'impressionnait si fort que j'osais à peine, face à lui, manifester des émois ordinaires, est une sorte de psychopathe... Ça y est. J'ai l'impression que le barbu est semé, cette fois. Vraiment semé. J'aime mieux ça. Il m'agaçait. Je ne crois pas que Tanger soit devenu si dangereux qu'ils le disent tous. Mais enfin... Cette violence nouvelle dans les visages. Ces pupilles dures, minérales. Cette vieille Espagnole laquée de frais, les bras chargés de paquets qu'elle serre bien fort sur sa poitrine, comme si elle craignait qu'on les lui vole. Peut-être est-ce le privilège le plus enviable des écrivains : ce pouvoir de mourir par morceaux, au moi le moi – et de s'accoutumer, ainsi, à la mort.

Suite du dialogue sur la mort. Il y a encore la mort de la marionnette, qui est aussi une petite mort (quel ami me disait, l'autre jour, qu'il finissait par bien l'aimer, ma marionnette ? et je songeais, en l'écoutant, que, si encombrante qu'elle me soit devenue, si *compromettante*, elle fait en effet partie de moi – le jour où, rage ou calcul, j'essaierai de la réduire, ou de la tuer, ce sera comme une amputation, j'en éprouverai du chagrin). On raconte que le roi n'aime pas cette ville, qu'il n'y vient guère et que c'est une raison de son déclin. Maudit soit Tanger ! Maudits son cosmopolitisme, ses trafiquants, ses noces coupables avec l'Occident ! Est-ce bien sérieux ? A-t-on jamais vu une ville disgraciée comme un courtisan ? Il y a des cas où il faut, pour sauver le moi, savoir sacrifier un ou plusieurs moi : c'est le gambit du moi – comme aux échecs quand, pour gagner, on choisit de sacrifier sa tour, sa reine ou son fou (le tuteur qui vous a transformé en poncif vivant ; l'hétéronyme qui vous a envahi ; ou, encore une fois, la marionnette qui vous discrédite et qu'il revient au régisseur, au moi diurne, ou carrément à L., moi profond, d'exécuter : je viens de dire que je l'aimais bien, mon BHL, il m'a rendu de bons et loyaux services, mais voilà, c'était le bordel, fallait remettre de l'ordre dans la maison et il n'y avait que moi pour faire le boulot – à la cave, une balle dans la nuque, si possible sans états d'âme, comme dans la mafia). La crasse. La poussière. Les enseignes à demi éteintes. Le théâtre Cervantes fermé. L'Alcazar et le Capitole désaffectés. Le Rif et le Paris avec leurs fauteuils qui sentent la sueur – dire que c'étaient les grands cinémas de Tanger ! Et ces grands immeubles désossés, arrêtés en pleine construction – il paraît que les promoteurs étaient des escrocs et qu'ils sont en prison. Il y a le cas où le moi social décide de mourir et d'entraîner les autres dans son naufrage (dialogue, dans la cervelle du dernier Hemingway, entre le moi macho qui dit : « je ne bande plus, donc j'arrête tout – addition, vestiaire, au revoir et merci » et le moi profond, auteur de *Au-delà du fleuve* ou du *Vieil homme*, qui proteste : « mais non ! il n'y a pas de raison ! tant de beaux livres encore à écrire ! ce n'est pas parce que tu ne bandes plus que tu dois, tous, nous condamner »). Et puis il y a le moment, enfin, où même si le vivant s'éteint, même si le corps biologique disparaît, rien n'est joué pour autant, on ne peut toujours pas dire « voilà, c'est terminé, il est mort » : car supposons qu'il reste des textes, supposons que l'auteur disparu laisse derrière lui des inédits – c'est le moi profond qui survit, tel un émetteur oublié, dans les décombres du vivant, du personnage et du régisseur réunis.

Sur les inédits. Faut-il les conserver, justement ? Faut-il garder les journaux, les lettres, les textes inachevés, les brouillons ? C'est la position de ceux qui veulent croire à cette vie après la mort. Mais c'est aussi celle des pro-Balbec : « Balbec a toujours raison ; je fais confiance à Balbec ; lui, Balbec, fera le tri ; à lui, Balbec, de reconnaître les siens. » C'est l'alliance, autrement dit, du moi profond et de Balbec contre la longue dictature du personnage et du vivant... Faut-il détruire au contraire ? Effacer ses propres traces ? C'est la ligne des athées de l'œuvre. C'est celle des matérialistes qui répugnent à l'idée d'une partie de soi survivant au moi social. Mais c'est le réflexe, aussi, des anti-Balbec – de ceux qui n'ont confiance en personne, et surtout pas en Balbec : ils effacent tout avant de partir ; ils nettoient ; ils laissent – Foucault, encore – une œuvre aux arêtes vives, bien polie, avec, au centre, le diamant noir de leur secret. C'est l'alliance, cette fois, du régisseur et du moi diurne dans le dos du moi nocturne – c'est le régisseur qui prête main-forte au moi qui-sait-qu'il-ment pour donner à J., en cas d'accident, les consignes les plus strictes quant au sort du journal : « tout doit disparaître, ordonne-t-il ! tout ! caisson plombé, arche de l'alliance ! et hop ! par le fond, jusqu'à la fin des temps ! » Où, la plus grande vanité ?

Sur le temps. Un écrivain vit, au moins, dans trois temps différents. Celui de sa vie quotidienne, qui va à la vitesse du jour, ou de l'humeur, ou des relations entre le jour et l'humeur. Celui de sa marionnette ou, mettons, de son personnage : un temps speedé, zappé, syncopé ; c'est le temps de la télé, quand l'enjeu est de plaider, frapper les esprits, convaincre ; c'est un temps qui a peur du silence ! tellement peur ! peut-être est-elle déjà si morte, la marionnette, que la perspective d'un temps mort lui donne l'impression qu'elle va mourir encore un peu! « Vivre sans temps morts... » Est-ce que ce n'était pas le mot d'ordre de Mai 68? Oui, bien sûr! Quelle dérision! Et puis il y a le temps de l'œuvre enfin : c'est un temps long, épais tant il est dense, c'est un temps qui n'a plus peur ni des temps morts ni des silences s'ils sont dans la logique de sa cadence; tantôt il paraît très lent, presque immobile, comme si rien n'était plus difficile que de passer d'un instant à l'instant suivant, d'une phrase à la phrase qui la continue – qu'un texte vienne trop vite, qu'il s'écrive trop naturellement, et c'est le signe, infaillible, que ce n'est pas l'auteur mais la marionnette qui en est l'auteur; et tantôt (la même chose, mais à l'envers) il a l'air très rapide, limite supersonique, le temps qu'on ne voit pas passer, l'heure ou la nuit en cinq minutes, la casserole qui brûle sur le feu, la baignoire qu'on laisse déborder – « excusez-moi, j'écrivais mon dernier édito » avais-je tenté d'expliquer, le jour de la mort de *L'Imprévu*, à la direction de Drouant, dont j'avais inondé tout un étage. Peu de gens savaient, à l'époque, qu'il y avait aussi des chambres chez Drouant. Et la Pension Mokhtar? Est-ce qu'elle n'était pas là, juste là, au pied de l'escalier qui monte vers les remparts? Et est-ce que ce n'est pas là que Ida, le dernier soir, habillée en homme... Je ne sais plus. Je n'y suis plus...

Sur le monde et ses petites perceptions. « B. » voit mal ; c'est même devenu une blague, avec A. : « quel temps a-t-il fait aujourd'hui ? » ou : « qu'est-ce que je pense, déjà, de ce paysage ? » ou : « ce paysage-ci, je ferme les yeux, décrivez-moi ce paysage-ci. » BHL voit un peu mieux mais ne voit que des abstractions ; il aime dire : « voir, en grec, se dit idée », moyennant quoi il ne voit que des idées, des généralités, des universaux ; c'est le plus cérébral de mes moi ; c'est aussi le plus dogmatique ; et c'est celui qui, de tous, est le moins enclin à la souffrance ; c'est l'homme de l'équivalence ; c'est le négateur des zones obscures et de leurs petites différences ; c'est ce qu'on appelle « un intellectuel » et il est, selon l'humeur, humaniste ou sectaire, droidlhommiste ou terroriste – c'est la même chose, en un sens... la même vision indifférenciée et le même aveuglement au singulier... double leçon des Lumières... ma tendresse secrète pour les grands terroristes... n'ai-je pas écrit, dans le temps, ce monologue intérieur de Robespierre dans sa charrette ? tiens Robespierre... vérifier qu'il était bien myope, lui aussi... Et puis voici, enfin, l'autre, l'auteur, l'artiste, voici le réalisateur du film qui, lui, ô miracle ! se découvre sensible à des couleurs, des visages, des qualités de paysage ou de lumière dont il n'avait, jusque-là, pas idée puisque ce ne sont plus, justement, des idées : « Bernard voit, clamait J.-P. en rentrant du tournage au Mexique ! Bernard voit ! » – sauf que ce n'était plus « Bernard », mais « Lévy », ou « L. », on peut l'appeler comme on voudra, c'est l'auteur du *Jour et la Nuit*, c'est aussi celui des romans, c'est celui qui voit du divers là où l'autre ne voyait que du même, c'est celui qui plonge dans les zones obscures que l'autre conjurait, c'est celui de mes moi qui souffre quand BHL ne ressent rien ; n'aurais-je pas été romancier, cinéaste – disons : un peu « artiste » – que je serais devenu un querelleur de profession, arc-bouté à des principes sans joie, au mieux Julien Benda ou, dans ma génération... Myope ou pas myope, Maximilien Robespierre ? Une chose, j'en suis sûr, lui a manqué et ce fut, non seulement son drame mais celui de la Révolution : un autre moi, artiste, qui eût rendu au monde le chatoiement que l'autre (droidlhommiste, terroriste, n'importe) s'évertuait à interdire et nier.

Dialogue sur le nom. Tant de moi sous un seul nom ? et ne serait-il pas plus commode de multiplier, aussi, les noms ? C'est bien ainsi, plaident ergosum et le régisseur dont la raison d'être est de gérer cette multiplicité. Non, protestent les hétéronymes qui revendiquent et mettent en œuvre chacun son propre nom. Et le moi social qui, selon qu'il prête l'oreille à ceux-ci ou à ceux-là, selon qu'il se range aux côtés du laquais ou du rebelle, du moi diurne ou du nocturne, fera basculer les choses dans l'un ou l'autre camp. Ce qui se passe quand un écrivain choisit la solution du pseudonyme ? La défaite en rase campagne d'ergo-sum. L'investissement du régisseur et de ses forteresses par la foule nombreuse des moi profonds. L'alliance – contre nature – d'un moi social qui tient à l'estime de sa concierge et d'un moi nocturne qui tient, lui, à ses démons. Je n'ai jamais pris de pseudo. Parce que je n'aime pas mentir ? Non. Le contraire. Parce que je n'ai jamais osé, justement, m'approcher de ma vérité.

Et puis dernier dialogue – ou, sinon le dernier, du moins celui qui, dans « mon » *Contre Sainte-Beuve*, devrait occuper la place de choix : celui du moi profond avec le personnage ou, mieux, la marionnette – celui de l'auteur (L.) avec son double (BHL). Qu'est-ce que je vois ? Lui encore ? Oui, c'est bien lui, seul à la terrasse du Granada, normal, tout le monde est à l'intérieur, en train de voir la fin du match – par où est-il donc passé ? comment m'a-t-il retrouvé ? Il ne se cache même plus, on dirait. Il me nargue. Tu peux prendre tous les raccourcis que tu voudras, je connais la ville mieux que toi. Tu peux courir, filer, j'aurai toujours une longueur d'avance, je serai toujours là où tu ne m'attends pas. Bon. Qu'il aille au diable. Je ne vais pas me faire un monde de ce qu'un barbu inconnu essaie de me pister et de jouer au plus malin. Je suis si près du but, de toutes façons... Et j'ai si grande hâte... Et lui? Que fait-il, lui ? Hâte aussi – ou appréhension, méfiance, regret déjà ? Ibn Battuta et la déconstruction : rien n'est plus drôle !

Le moi profond, donc, à la marionnette et, à travers elle, au personnage ; L., en fait, à BHL – premier mouvement. — On te voit trop. On t'entend trop. Tu es le mauvais génie de mes livres. Tu es mon pire ennemi. Regarde les aînés : Malraux, Gary, Drieu, Aragon – le tort que leur fait leur personnage ! l'ombre que le nom fait à l'œuvre !

BHL — Imbécile ! Tu n'y comprends rien. Leur nom les protège au contraire. Leur personnage les sanctuarise. Pourquoi crois-tu qu'Aragon se jette dans les bras des communistes ? Pour écrire enfin les romans que Breton le forçait à brûler. Pour continuer, dans l'ombre du Parti, de faire ses bêtises surréalistes.

L. — Je ne suis pas Aragon.

BHL — Cocteau, alors. Pourquoi penses-tu que Cocteau défile avec les communistes, dont il se fiche ? Pour complaire à Aragon, justement. Il sait que son dossier est lourd. Il sait qu'il a beaucoup à se faire pardonner. Alors il fait un pacte avec Aragon et, pour bien signifier qu'il n'est pas seulement le mondain que moquaient les surréalistes, pour montrer patte blanche à ses détracteurs et se faire aimer des bien-pensants, il passe tout l'après-guerre à...

L. — Je ne suis pas Cocteau.

BHL — Tous les écrivains sont comme Cocteau ! Fragiles ! Menacés ! En butte à des chantages et des entreprises de déstabilisation psychologique. Alors, pour avoir la paix, pour continuer, dans leur coin, leurs petits trafics littéraires, ils s'abritent derrière les grandes causes et s'en font une garde rapprochée, un rempart. BHL ? ton bodyguard.

L. — Je ne veux pas de bodyguard. Je veux juste que tu baisses d'un ton, que tu essaies de prendre moins de place. Plus tu parles, moins on me lit. Plus on te connaît, plus on me méconnaît.

BHL — Non, voyons ! C'est le contraire. Prends la Bosnie. Est-ce que tu te rends compte du bien que t'a fait la Bosnie – le nombre de gens qui n'ont jamais lu tes livres mais qui ont dit « ah la Bosnie ! il m'est sympathique depuis la Bosnie » ?

L. — Tu parles comme mes pires ennemis – ceux qui me reprochaient, non de servir la cause bosniaque, mais de m'en servir. C'est indécent. C'est odieux.

BHL — Il y avait deux façons d'aller à Sarajevo. Pour en faire de la littérature ou pour y refaire son capital de sympathie. En la circonstance, c'est bien de l'amour que tu allais chercher – montrer que tu pensais juste, que tu avais l'âme généreuse et que tu étais même courageux... Ah ! le courage ! Les cons n'ont pas idée de ce qu'est le talent mais le courage, ça, ils croient savoir... Regarde le cas Drieu : Charleroi, le suicide – le bénéfice qu'un écrivain médiocre, ou crapuleux, peut tirer d'une réputation de courage bien gérée...

L. — Je ne sais pas de quoi tu parles. Je déteste cette façon de penser. Je déteste ce cynisme.

BHL — La littérature c'est la guerre – ou ce n'est pas la guerre ?

L. — C'est la guerre.

BHL — Alors si c'est la guerre, il faut faire la guerre – et la faire avec toutes les armes disponibles ; la politique par exemple ; ou le bon usage des bons sentiments : « vous trouvez L. immoral ? imbuvable ? cannibale ? vous croyez que, comme tous les écrivains, il se moque de la société et que, lorsqu'il fait de la philosophie, c'est pour conchier l'idéologie française, diffamer l'optimisme historique et le marxisme, décourager ses semblables en leur retirant leurs pauvres raisons de croire et d'espérer ? Eh bien non. Voyez comme il est bon ! Dévoué à ses contemporains ! Voyez comme, sous ses dehors égoïstes, il se soucie du genre humain ! »

L. — Je me moque du genre humain. Je méprise les gens qui me disent : « on vous haïssait jusqu'à la Bosnie ! la Bosnie nous a rapprochés ! » N'avaient qu'à m'aimer pour mes livres, ces gens-là. N'avaient qu'à aller voir *Le Jour et la Nuit*.

BHL — Tu parles comme les vieilles qui veulent qu'on les aime pour elles-mêmes, et pas pour leur argent. Mais ce n'est pas ça, la littérature ! Ça n'a jamais marché comme ça ! Regarde tes aînés, tes vrais grands aînés : toujours la même division du travail entre l'écrivain, d'un côté, perdu dans ses fables suspectes, sans emploi, maléfiques, et le brave garçon qui, de l'autre, se rend utile à la communauté, aimable, sympathique – pas si méchant homme qu'on le supposait puisqu'il manifeste contre le fascisme, dit sa haine du mal et son amour du bien, fonde SOS Racisme et témoigne pour les damnés de la terre. De l'utilité du personnage, de la légende, etc., pour contrer les malveillants et même, si tu me laisses faire, les mener jusqu'aux abords de l'œuvre.

L. à BHL, deuxième mouvement — Pour l'instant, en fait de légende, je ne vois que l'effroyable réputation que tu t'es faite, le parfum de polémique ou de scandale qui accompagne tes initiatives, la huée, l'opprobre...

BHL (moqueur) — Attention ! voilà les grands mots...

L. — Même ta fameuse Bosnie... Tu n'as qu'elle à la bouche, ta Bosnie. Or, quand on fait le bilan, le vrai bilan, ça donne quoi ?

BHL (fier) — Treize voyages.

L. (moqueur, à son tour) — Oui, et treize querelles ! Réussir, après tout le mal que tu t'es donné, les risques que tu as pris, les mois de crapahutage, les deux films, les articles, le livre, à ce qu'on écrive encore : « BHL et ses quarante-huit heures de tourisme à Sarajevo », bravo ! belle performance !

BHL (embarrassé) — C'est la guerre, te dis-je. L'adversaire, à Paris non plus, ne faisait pas de quartier – il ne reculait devant aucun mensonge, aucune forme de vilenie.

L. — Soit. Mais à moi, alors, de retourner l'argument : cette guerre qui est ta raison d'être, le principe de ton existence – « j'existe parce que c'est la guerre et que, dans cette guerre, je te renforce », etc. – admets que tu la mènes bien mal.

BHL (piteux) — Je fais ce que je peux.

L. — Eh bien admets que tu peux peu. Tu as été bon, tu ne l'es plus. Tu as eu l'une des meilleures logistiques de la place, tu ne l'as plus. Il y avait un « système BHL » qui était l'honneur des armées et faisait l'envie de tous – s'il y a une leçon du « grand échec » c'est que ce système a vieilli, qu'il n'est plus en phase avec l'époque et que, loin d'appuyer l'œuvre, il l'affaiblit.

BHL (toujours piteux) — C'est l'œuvre qui, en l'occurrence, était ratée.

L. — Non, c'est le lancement qui a foiré ; la machinerie médiatique qui était périmée ; cette façon que tu as de surprotéger tes créatures... d'accompagner le moindre de leurs pas... cette manie de les prendre dès les limbes pour, à chaque étape de leur vie, donner le mode d'emploi qui va avec – et les cymbales ! et les roulements de tambour ! attention, mesdames et messieurs, vous allez voir ce que vous allez voir ! Les gens ne veulent plus de cela, ils veulent se faire une idée par eux-mêmes – et, quant à moi, auteur, j'y vois un manque de confiance dans leurs forces propres, donc dans les miennes, qui me désoblige et me blesse...

BHL — Pour un écrivain à qui l'on ne cesse de reprocher son arrogance, sa suffisance et donc, pour parler clair, son excès de confiance en soi, la manœuvre me semblait habile...

L. — L'époque veut de la réserve et du retrait. Elle veut des artistes boudeurs, un peu chafouins. Elle veut les voir traîner les pieds quand ils vont à la télé et répondre aux interviews des journaux mais sans charme, de mauvaise grâce. Au lieu de quoi un type content de lui, jouissant à visage découvert, claironnant ce que les écrivains-cinéastes avouent d'habitude à voix basse, pas assez arrogant justement, ni prudent, et qui, en méconnaissant à ce point les règles du nouveau spectacle, s'est conduit comme un acteur démodé. On t'a trop vu, dans trop de magazines, avec une innocence – mais oui ! – qui disait trop ta joie de vivre, ton bonheur d'être et de le montrer ; en donnant trop, tu t'es tué – tu as éteint le désir que tu voulais susciter.

BHL — Tu ne vas pas nous faire, toi aussi, le coup de l'hommage aux « silencieux »...

L. (rêveur) — Je ne sais pas... Si c'était à refaire *(il hésite)*, peut-être que je me ferais silencieux...

BHL — C'est absurde.

L. — Mais tellement plus payant... Regarde le vieux maître... Je le revois, il y a vingt ans, amer, incompris, terriblement ambitieux... Aujourd'hui, il a gagné, c'est lui qui tient le haut du pavé...

BHL — J'ai de l'info fraîche sur le vieux maître. Aux dernières nouvelles, c'est lui qui fait la pute – il ouvre, à la Cité de la musique, un concert d'Ornette Coleman.

L. — C'est bien ce que je dis. Il a fait son plein d'invisibilité ; son accumulation primitive de silence et de réserve ; et c'est à lui, aujourd'hui, qu'on demande de présenter Ornette Coleman.

BHL — Pour, au milieu de sa performance, se faire siffler ! Car, info pour info, il te faut l'info en entier : il a présenté le concert mais il s'est fait conspuer, en plein discours, comme je ne l'ai, moi-même, jamais été.

L. (rêveur) — Radicaliser dans ce cas... Aller plus loin... Se taire tout à fait...

BHL — Grotesque !

L. — N'avoir plus de visage, à peine un nom – revenir à cette humilité dont je rêvais à vingt ans.

BHL — Humilité ? Quelle blague ! Pas

de nom, pas de visage, c'est la définition de Dieu – il n'y a pas plus orgueilleux.

L. (qui n'entend pas) — Une vraie séparation ; un moi social réellement clandestin ; qu'il ne reste de ma vie aucune trace mémorable – et que, de l'auteur de mes livres, on n'ait pas plus à dire que d'Aristote selon Heidegger : « il naquit, il travailla, il mourut. »

BHL — Trop tard, de toute façon ; tu t'es trop compromis avec l'ancien régime ; on ne change pas, à mi-vie, de régime de l'esprit.

L. — Publier sous un autre nom, ou bien à l'étranger. Faire comme Gary et son « Ode » à Charles de Gaulle, Foucault et ses textes iraniens, Genet et ses derniers textes palestiniens – publier dans une autre langue, n'importe laquelle, que mon nom n'ait pas polluée ; être enfin débarrassé de moi, ou de toi, ou de l'autre, mon personnage, je m'y perds, quel repos !

BHL (tentant de reprendre l'initiative ; troisième mouvement) — Ce débat, de toute façon, n'a pas d'objet.

L. — Non ?

BHL — Non ; car c'est *ma* mauvaise réputation, après tout ; *mon* discrédit...

L. — Certes.

BHL — Et si le *Contre Sainte-Beuve* a raison, si les rôles sont aussi tranchés que nous le disons, alors tout cela est étanche, bien séparé ; il peut m'arriver n'importe quoi, je peux être sali, humilié, traîné dans la boue, déconsidéré – en principe, tu n'es pas touché.

L. — Admettons...

BHL — On peut pousser le raisonnement plus loin. Ces flèches qui m'atteignent sont autant qui te sont épargnées ; cette haine que je suscite, c'est autant de moins pour tes livres ; je prends les coups à ta place ; je suis ton saint Sébastien ; tu es, en d'autres termes, le bénéficiaire de ces polémiques...

L. (moqueur) — Dans une seconde, il faudra te remercier des coups que tu m'évites après les avoir attirés.

BHL — Oui, bien sûr ; c'est logique ; en m'exposant, je te préserve.

L. — Tu es le coup et le contrecoup, la foudre et le paratonnerre – version *Contre Sainte-Beuve* de la plaie et du couteau ?

BHL — C'est cela, en effet ; précisément cela.

L. — C'est aussi ce que l'on appelle un racket ; c'est Martin, l'ami mafieux, qui fait une descente dans un bar de la côte, déclenche son « emboucane », casse tout et envoie un acolyte, le lendemain, dire au patron : « on peut te protéger, mais ce sera tant »; tu n'es plus mon bodyguard, mais mon racketteur.

BHL — Sauf que, moi, je ne demande rien; je t'offre tout – la paix, la liberté d'esprit, une planque – et je ne demande rien.

L. — Planque ou pas, je peux difficilement rester indifférent quand je te vois moqué, tourné en ridicule, guignolisé...

BHL — Les vrais écrivains sont invulnérables ; tu es invulnérable.

L. — Cette histoire de tarte à la crème, par exemple ; elle tourne au cauchemar et...

BHL — Parlons de la tarte à la crème. Tu avais, dans cette affaire, deux réactions possibles. Celle de l'écrivain vulnérable, incertain de lui-même et de son œuvre : se sentir visé, donc offensé et se mettre en colère comme tu l'as fait – pitoyable ! Celle du véritable écrivain dont j'affirme qu'il est hors d'atteinte : « la tarte n'était pas pour moi, mais pour l'autre; elle ne me concerne nullement; j'observe la scène en spectateur, je souris » – c'est l'attitude de Jean-Luc Godard; une autre allure que toi !

L. — Et les reportages de *Paris-Match* ?

Les photos volées dans des feuilles indignes ? Cette façon de faire spectacle de tout – la politique et la vie privée, les grands engagements et les petits sentiments : tu vas aussi me dire qu'il ne s'agit pas de moi, mais de toi et que l'indécence, par conséquent, ne rejaillit pas sur les livres ?

BHL — Non seulement elle ne rejaillit pas mais, à nouveau, elle les protège. L'équation est simple : plus on me trouve, moins on te cherche ; plus le système se focalise sur le personnage ou la marionnette, plus il fichera la paix au moi profond ; imagine qu'il n'y ait plus d'images dans les magazines, c'est toi, l'auteur, qui serais dans le collimateur – c'est clair ? En bonne technique guerrière, la manœuvre a un nom : une diversion.

L. (ironique) — Je ne vois pas les magazines photographier un moi profond.

BHL — Non. Mais on les voit bien, en revanche, s'intéresser à ses secrets. Car enfin soyons sérieux. Il y a les petits secrets de BHL et les grands secrets de L. ; la vie privée de l'un, la contre-vie clandestine de l'autre. La question est simple : que vaut-il mieux – exposer les uns ou éventer les autres ? céder sur les photos de l'appartement ou sur les procédés de fabrication des livres, leurs clefs ? qu'est-ce qui est plus périlleux (toujours la même alternative, la même stratégie de diversion) : organiser de maigres fuites dans le mur d'un moi social dont on a vu qu'il compte pour rien, ou presque, dans ton alchimie – ou exposer ta littérature même à la curiosité des chiens ?

L. — Je ne vois pas pourquoi je me laisserais enfermer dans ce choix absurde...

BHL — Parce que ce sont des chiens – et que la mécanique de la chiennerie est à la fois implacable et très bête. Ou bien tu leur donnes en pâture ton mariage à Saint-Paul-de-Vence et, repus, ils seront assez sots pour oublier de te tourmenter sur le reste. Ou bien tu ne sacrifies rien et, déchaînés, ils viendront fouiller eux-mêmes dans les poubelles de ton œuvre – bonjour, alors, l'enfant d'Edouard, le 4 août 1969, les sources de Mathilde, le jour de ta naissance qui sera désormais celui de sa mort, la sœur défenestrée, ta propre folie, ta fêlure, comment tu as écrit certains de tes livres, ton inavouable foi, ton vrai secret. Le deal est clair. C'est le Yalta de l'art du roman. Comment, dans cette guerre froide qu'est encore, pour un temps, ta vie, te passerais-tu de ce leurre, formidablement commode, qu'est BHL ?

L. — Ton narcissisme est décidément sans limites ! Cette façon de croire que tu aurais, par définition, la planète aux trousses, pour t'applaudir ou te dévorer, t'arracher ces secrets-ci ou ces secrets-là ! Est-ce qu'on ne pourrait pas se calmer, voir les choses plus simplement et envisager une situation où les chiens, comme tu dis, ne voudraient ni de ton mariage ni de mes clefs ? Il y a des écrivains qui n'ont pas de leurre, qui n'en veulent pas et qu'on laisse, néanmoins, en paix...

BHL — Ça marche un temps, c'est vrai. Il y a des écrivains – toujours les fameux silencieux – qui prétendent ne pas s'embarrasser d'un leurre et qui disent : « je suis tout-un, c'est bien ainsi, je n'ai besoin ni de personnage ni de marionnette. » Or survient – et il survient toujours – le méchant accident de parcours. Arrive l'erreur de jeunesse qui ressurgit d'un lointain passé roumain. Et, faute de leurre, faute d'un autre moi à qui l'erreur puisse être imputée et qui saute comme un fusible, c'est tout le moi qui s'embrase, le feu dans la salle des machines, et les ânes qui s'engouffrent dans la brèche pour conclure : « on ne lit plus Cioran ; Cioran a été fasciste et, comme il n'y a qu'un Cioran, on interdit Cioran. » J'ajoute que cette image du type qui n'a pas besoin de leurre parce que nul ne songe à l'attaquer, ce destin de l'écrivain qu'on laisse en paix parce qu'il laisse indifférent, ne me semble pas être, non plus, celui que tu désires vraiment.

L. — Je ne sais pas...

BHL — Je sais, moi, que non. Je sais que, sur ce point, c'est-à-dire sur ce désir de gloire, nous avons toujours, quoi que tu en dises, été assez d'accord. Car nous n'avons parlé, jusqu'ici, que de nos points de désaccord. Nous avons fait comme si notre cohabitation était nécessairement conflictuelle. Mais les moments où nous avons été au diapason, les heures bénies où nous avons pensé les mêmes choses au même instant, éprouvé les mêmes émotions, nourri les mêmes rêves et conspiré aux mêmes projets, ce désir de gloire par exemple, ce goût partagé de la lumière, ces moments où nous avons été si profondément d'accord qu'aucun « régisseur » au monde n'aurait pu, entre nous, introduire l'ombre d'un différend – ils ont existé, ces moments, ce serait insulter la grâce de la vie que de nier qu'ils aient existé...

L. — ... sans doute ; mais ce sont ceux, tu le sais aussi, dont il a toujours été entendu qu'il ne fallait pas parler ; silence donc ; omerta ; et fin du débat.

Je sais, maintenant, à qui il me faisait penser. Ce collier de barbe blanche... Le regard gris derrière les lunettes de myope... Le cigare... C'était le Viennois, bien sûr. Le vrai berger des moi. Leur comptable supérieur. Celui qui a tout compris, tout prévu, tout dénombré – y compris le fait que le dénombrement est impossible, la prolifération incalculable : « tu peux toujours multiplier les moi ; tu peux en produire deux cent cinquante, si ça te chante ; le jeu est interminable ; le fractionnement sans fin ; il y en aura toujours un autre, un dernier, un que tu ne connais pas, qui te talonne, qui ne te lâche pas et qui a un temps d'avance sur toi. » C'est idiot, bien sûr. C'est aussi bête que mon faux Benjamin de tout à l'heure. Mais en même temps... Ce ballet des doubles... Ce carnaval des sosies... Ce faux Freud qui me suit comme mon ombre au moment même où je me débats avec mon vrai athéisme, le seul qui compte : celui qui touche à l'inconscient et à la résistance absurde, mais farouche, que j'oppose à son existence. Il a disparu, d'ailleurs. La nuit est tombée – d'un coup, comme toujours dans les villes où on tarde à allumer les réverbères ; et il a disparu. Comme tout cela est troublant. Comme cette journée est bizarre. Le match doit être fini. Ils ont l'air sombre, mais heureux – preuve que le match est fini et qu'ils ont dû gagner. Bab Al Aâça, maintenant. Le palais de Barbara Hutton. Les belles demeures en ruines qui sentent la citronnelle et la fleur d'oranger. Le port enfin, la gare, le bar où Mehdi a rencontré Greta et puis le grand escalier qui montera vers le Continental – il sera peut-être en haut, sur la terrasse, face à la mer, en train d'essayer de scruter les crénelures de la côte espagnole. J'ai déjà compris une chose, vieux maître. Je l'ai comprise sans vous, mais ce sera bien d'en parler. C'est qu'il faut arrêter les frais, dire halte à la prolifération nucléaire du moi : trop difficile ; trop risqué ; c'est à devenir fou ; et à quoi bon quand on sait qu'on n'aura, quoi qu'il arrive, jamais le fin mot de l'affaire ?

J'ai eu raison, finalement, de passer par là. Ça m'a permis d'arriver, sans l'avoir fait exprès, sur le petit Socco juste à l'heure que je préfère : quand les rares touristes ont plié bagages, que les trafiquants reprennent possession du lieu et qu'on commence d'entendre, dans les chambres des pensions, le timbre fêlé des guitares. Les derniers Américains de Tanger.

6

Le meilleur exemple, c'est évidemment Romain Gary. Pas le genre du vieux maître, Romain Gary. Trop rasta. Trop m'as-tu-vu. Trop le contraire, surtout, de cette grande « pensée structurale » dont il s'était, va savoir pourquoi, institué l'adversaire officiel en publiant, dans les années soixante, son pathétique *Pour Sganarelle*. Je ne le connaissais pas, en ce temps-là ? Non. Mais je l'imagine. Je l'entends. « Quoi ? Ces pisse-vinaigre – vieux maître en tête – se croient les rois de Paris ? les éducateurs de la jeunesse ? ils vont voir ce qu'ils vont voir ! 300 pages de dynamite ! non, 400 ! non, 500 ! un vrai livre de guerre ! leur antihumanisme théorique pulvérisé ! la preuve qu'on commence par exclure du roman le personnage et qu'on finit, je pèse mes mots, par le massacre de six millions de Juifs ! Ça peut coûter cher, d'accord, de s'en prendre aux puissants du jour ; mais le lieutenant Gary de Kacew en a vu d'autres ; il a couru des risques autrement sérieux dans sa vie ; ce sera son 18 Juin littéraire ; il sera de Gaulle, Jean Moulin, la RAF et la vraie littérature réunis ; messieurs les sémioticiens de mes deux, messieurs les bradeurs de l'héritage de Cervantès et de Balzac, je vous fais savoir par la présente primo que je ne suis pas des vôtres, secundo que je vous déclare une guerre totale, sans merci, sans prisonniers ; mon adresse ? oh ! mon adresse... écrivez-moi à Londres, ou dans le maquis, ça arrive toujours. »

Le livre sort. Le dinamitero se met aux abris, pour attendre les premières ripostes à son bombardement sans précédent. Il risque un œil, rien ne vient. Il met un pied dehors, toujours rien. Il sort carrément de sa tranchée, histoire de vérifier s'il n'y est pas allé un peu fort en mettant l'ennemi trop vite au tapis ; et, là, le spectacle le plus triste pour ceux – et ils étaient nombreux – qui plaçaient haut l'auteur d'*Education européenne* et de *La Promesse de l'aube* : son cher *Sganarelle*, sa machine de guerre si patiemment montée, ses quatre cents pages de pure réflexion qui devaient terrasser les petits maîtres structuralistes et autres penseurs de l'avant-garde, ce livre qui, au demeurant, quand on le relit aujourd'hui, est loin d'être déshonorant et défend une idée de la fiction (« plusieurs vérités intérieures contradictoires, en conflit ») à laquelle l'art du roman d'un Kundera n'a pas eu grand-chose à ajouter, ce livre passe inaperçu – zéro article, cinq cents exemplaires vendus, syndrome de la mouche sur le cul du zébu, le type qui déclare la guerre à des gens qui ne s'en aperçoivent pas et ne se donnent même pas la peine d'en prendre acte... Pas le genre du vieux maître, non. Capable de se marrer rien qu'à l'énoncé du nom. Je vais lui dire : « c'est lui, Gary, à cause de l'affaire Ajar, le meilleur témoin de cette condition nouvelle qu'impose le Spectacle aux écrivains » et il va me rire au nez. Et pourtant...

Oui, pourtant, *Sganarelle* ou pas *Sganarelle*, Gary serait, j'en suis sûr, le meilleur fil pour un nouveau *Contre Sainte-Beuve*. Il a tout compris, avant tout le monde. Il a vécu – ce qui s'appelle vécu – cette mécanique de la multiplication des moi. Je dirais même, si je ne craignais la grandiloquence, qu'il est allé au bout de cette logique comme d'autres au bout de la nuit et que c'est de cela, à la fin des fins, qu'il est mort. C'est ça, voilà. Il est mort quinze ans avant Debord, il a fabriqué Ajar vingt ans avant que les culs de plomb du clergé littéraire ne s'emparent de la « société du Spectacle », mais il est, de tous les écrivains contemporains, celui qui a le mieux saisi – et de l'intérieur ! dans sa chair ! – les lois de ladite société. Et si c'était le livre à écrire ? La vraie façon de raconter la comédie de l'époque ? Un « hommage à Gary », comédien et martyr du Spectacle. Un *Pour saluer Romain Gary* qui rendrait justice à celui que le Spectacle a tué. Un livre sur Gary qui, en somme, récapitulerait les grandes étapes de l'incroyable affaire Ajar comme autant de stations dans la montée au Golgotha médiatique – avec espoir de salut, résurrection et crucifixion finale.

Je le vois, Gary, ici même, devant le café Fuentes, à l'époque où il était encore consul de France à Los Angeles et se faisait payer ses voyages par *Life* et *Travel and Leisure*. Même heure, sans doute. Même auréole de lumière. L'Arabe – long, maigre, le crâne lisse comme un galet, l'œil meurtrier – brandit un couteau. Lui aussi. Les contrebandiers du Socco font cercle autour des duellistes. Il esquive. Il attaque. Il perd l'équilibre, se relève, laisse tomber son couteau, avise une bouteille qu'il brise sur le talon de sa botte pour s'en faire une arme de fortune. L'Arabe l'insulte : « Khanez ! chien du dessous ! » La foule ricane, elle retient son souffle mais elle ricane car elle sait que c'est le signe de la fin, le dernier mot avant l'estocade. Le type l'aurait tué si la police espagnole n'était intervenue et ne l'avait mis, in extremis, dans un bateau pour Gibraltar. D'où vient que, de cette scène qu'il m'a racontée tant de fois, je n'aie jamais retrouvé la trace – ni chez Bona, ni chez Huston, ni dans le portrait de J.P., ni même dans la *Promesse* ? Tout est possible, avec lui. Qu'il l'ait inventée, et qu'il ne soit jamais venu à Tanger. Ou qu'il y soit venu, mais comme ça, sur un coup de tête, parce que c'était l'année de la parution du *Grand Socco* de Joseph Kessel et qu'il était hors de question de laisser l'autre grand Russe de Paris passer trois jours entre le café de la Douane et le Minzah et faire main basse sur la mythologie de la ville ! Vérifier. Retrouver un témoin, il en reste sûrement un, ne serait-ce que la petite fille, natte sage, grands yeux effrayés, éventail, qui l'observait depuis le balcon du Fuentes – « vous me croirez si vous voulez mais c'est pour elle que je me battais ». Elle ne doit pas être si vieille. Pas plus, en tout cas, que le colporteur de l'autre jour, au Marshan, à qui j'ai demandé : « Morand ? l'écrivain français ? vous savez où il habitait ? » et qui m'a, sans hésiter, conduit à la maison de *Hécate et ses chiens*. Gary, et sa légende. Gary, et la comédie du siècle. Je récapitule donc les stations, le calvaire de Romain Gary.

1. Marre de sa gueule. Marre de sa réputation de vedette à qui on proposait, à Los Angeles, de poser pour des publicités.

Marre de sa silhouette de vieux brigand, aussi familière, dans ces années, que celle de Sartre – poncho mexicain, barbe noircie, Montecristo numéro 2, visage de baroudeur brûlé par les soleils de Tanger, Stetson cabossé, bagarres au couteau. Marre de passer, dans le meilleur des cas, pour un écrivain académique et, dans le pire, pour un romancier mal embouché qui n'aurait eu le Goncourt que parce que Camus avait rewrité les *Racines*. Marre d'être un monument que l'on visite. Marre d'être un album de famille que l'on feuillette. Marre que le système n'attende, au fond, plus rien de lui et que ses nouveaux romans, même s'ils se vendent, soient, chaque fois, des non-événements. Marre que des types comme moi, quand ils viennent le voir, rue du Bac, ne trouvent à l'interroger que sur Dolores Del Rio, Gary Cooper, Jean Seberg. Marre, en un mot, de sa « marionnette ». Marre de son « personnage ». Marre de ce « moi numéro trois » qu'il faut entretenir et qui lui pèse, qu'il faut cultiver et qui le tue – marre de cette image de soi qu'il a chérie mais qui est en train, il le sent bien, de se retourner contre lui, de le dévorer. Et invention d'Ajar, alors, comme un geste de survie – on parle toujours des tentatives de suicide des écrivains, on devrait parler aussi de leurs tentatives de survie : est-il vrai, se demande-t-il, qu'un homme soit responsable de sa gueule après quarante ans ? Il est libre, en tout cas, d'en changer ; il ne tient qu'à lui de réduire la part de comédie ; il a le pouvoir, s'il le veut, de casser cette gueule de cabot, d'étouffer cette voix qui sonne faux ; il a la ressource de se taire pour que l'on entende enfin son œuvre – il a celle de s'inventer un nouveau moi qui, déparasité, purgé de ce passé, lui permettra d'être lu comme au premier matin. Devenir un autre pour redevenir soi, changer d'identité pour se réapproprier son être, fabriquer un fabuleux mensonge aux seules fins de refaire entendre sa vérité : c'est la logique du masque ; c'est Foucault rêvant, dans son entretien au *Monde*, d'une année où les livres paraîtraient sans nom d'auteur – seule façon, disait-il, de s'assurer que les critiques recommencent de lire, les lecteurs de réfléchir ; sauf que, lui, Gary, ça ne durera pas une année mais une vie, une *seconde* vie, et ce sera le commencement de la plus grande aventure pseudonymique de tous les temps.

2. D'habitude, quand on prend un pseudonyme, c'est pour continuer de raconter les mêmes histoires, brasser les mêmes thèmes, broder sur le même imaginaire, bref écrire, sous le nouveau nom, les mêmes livres que toujours, surtout les mêmes livres, vu que ce sont eux, ces livres chéris, que l'on enrage de voir occultés et

vu que la raison d'être du nouveau nom est, en supprimant l'écran, de leur rendre leur visibilité perdue. Là, il se passe une chose bien plus étrange. Gary signe Ajar. Mais, sous cette signature d'Ajar, apparaissent des textes inattendus et, surtout, très différents : un style plus lâche, une écriture moins peignée, des situations rocambolesques ou cocasses, un imaginaire débridé, des histoires de petits beurs de la Goutte-d'or ou de vieux Juifs facétieux dont le moins que l'on puisse dire est qu'ils avaient plus difficilement droit de cité dans les livres du grand écrivain décoré. Gary n'est plus Gary. Ce n'est plus le vieux Gary, solennel et démodé, qui aurait trouvé une astuce pour faire oublier qu'il était Gary. Et, loin d'avoir pour effet de rétablir l'accès à des livres malheureusement fermés, l'opération a celui d'inventer une nouvelle œuvre qui n'a plus, avec l'autre, qu'une lointaine et presque invisible parenté. C'est ce qu'il dit lui-même quand, dans *Vie et mort d'Emile Ajar*, le petit livre posthume censé donner le pourquoi et le comment de toute l'affaire, il explique que son idée était de « renaître », vraiment renaître, c'est-à-dire, au sens propre, naître une seconde fois dans une même vie. C'est ce qu'il dit quand il engueule les deux ou trois critiques qui croient l'avoir identifié : « qu'est-ce que c'est que ces façons de couper les couilles d'un jeune en m'attribuant son œuvre ; vous voulez quoi ? que je vous signe un papier où je jure qu'Ajar est un autre ? je vous le signe ; je vous le jure ; car je sais, moi, en mon âme et conscience, qu'Ajar et moi faisons deux. » Et quant à ceux, enfin, qui ironisent depuis vingt ans sur le fait que la critique, à ces deux ou trois exceptions près, n'ait pas reconnu l'auteur de *La Promesse de l'aube* derrière celui de *Gros-Câlin*, quant aux malins qui répètent : « quelle humiliation ! quelle gifle ! il suffisait de lire l'un et de relire l'autre pour voir que c'était le même homme, car le style c'est l'homme et la langue, elle, ne ment pas », je n'ai pas spécialement envie de défendre « les » critiques, mais, là, pour une fois, ils ont des excuses : ce n'était plus le même style, justement ; plus vraiment la même langue ; si les critiques sont si rares à avoir reconnu Gary sous Ajar, ce n'est pas parce qu'ils étaient nuls mais parce que ce n'était plus Gary – une autre œuvre, vraiment ; un tout autre moi profond.

3. Ce qui s'est passé ? comment un même être peut être si différent de soi ? comment deux âmes si distinctes peuvent cohabiter dans le même corps – je dis bien cohabiter, car le plus fort est que les deux œuvres ne se succèdent pas mais se développent en parallèle, tantôt c'est du Gary-Gary, tantôt du Gary-Ajar, et il se

paie même le luxe de mettre les deux veines en concurrence, la peignée et la cinglée, l'académique et la barjot – vous préférez Gary ? Ajar ? vous trouvez, vous aussi, que le second a donné un coup de vieux au premier ? et, lui, comment le prend-il ? comment vit-il le fait que *La Vie devant soi* caracole en tête des best-sellers au moment où lui, avec le *Ticket*, piétine en queue de liste ? On peut toujours dire – et je reste, ce disant, dans la terminologie de « mon » *Contre Sainte-Beuve* : « il y avait deux sources ; deux nappes phréatiques distinctes, et qui ne communiquaient pas ; il a foré l'une ; puis l'autre ; puis les deux. » Ou bien : « il a passé sa vie à mentir sur son origine, embellir sa naissance et son enfance ; on n'a jamais très bien su qui était réellement son père ni si sa mère était juive ou non ; il faisait partie de ces écrivains qui coulent une chape de silence ou de fables sur le lieu de leur scène primitive et, donc, de leur moi plus-que-profond – avec Ajar, il casse la chape ; il libère la parole de l'enfant emmuré ; il invente un moi profond qui se rebranche, pour la première fois, sur le moi plus-que-profond. » Ou bien encore (et ce sera sûrement, quand nous en parlerons, la thèse que choisira le vieux maître) : « tout ça est affaire de texte ; Ajar était un effet de texte ; il a suffi qu'il s'installe dans cette langue nouvelle et, je vous l'accorde, plus moderne pour que, tel le djinn surgissant de sa bouteille à l'encre, apparaisse cet autre moi profond qui, etc. » Mais il y a une autre explication, en amont de celles-là, et qui les commande toutes : Gary, comme la plupart des écrivains, abritait en lui un tuteur, une statue intérieure, qui avait le visage de sa mère ; c'est elle, sa mère, qui, même morte, l'encourageait dans ce travail de forclusion, de fabulation de l'origine ; c'est elle qui, au fond, n'a jamais cessé de lui souffler : « fais le Français, Romain ! pas le Juif, le Français ! fais-moi de beaux romans français bien peignés qui impressionneront les messieurs du Quai ! » ; en sorte que l'événement, la vraie coupure, l'acte de naissance effectif de ce nouvel auteur qui a le culot de faire débarquer dans ses romans unc Madame Rosa, un Salomon, un Momo, est à la fois plus essentiel et plus douloureux : c'est Nina qui finit par se taire ; c'est la seconde mort, en lui, de Nina ; Gary était l'œuvre de sa mère – Ajar est son œuvre à lui et doit d'être créé à cette mort, en lui, de la statue ; flotte, autour de la naissance d'Ajar, un parfum de mise à mort – la mort de la promesse, le reniement de l'aube, ce moment toujours effrayant où un écrivain brise le tuteur autour duquel il n'avait, depuis trente ans, cessé de s'enrouler pour se constituer et s'élever.

4. Pire (ou mieux – ça dépend de quel

point de vue on se place : celui du Romain que j'admirais et dont je voudrais, étape par étape, reconstituer la descente aux enfers ou celui de la littérature éternelle) : il ne tue pas que la statue, il tue aussi le personnage, son personnage, la marionnette qui le mine, la légende que j'aimais tant mais dont il croit qu'elle le dessert – et il le fait avec une sauvagerie qui, lorsque j'y repense, me met, encore aujourd'hui, les larmes aux yeux. On leur fout la paix, d'habitude, à la marionnette et au personnage. On en a marre, OK. On se forge un nouveau nom pour essayer de leur échapper, d'accord. Mais on n'en fait pas un fromage non plus. On les laisse dépérir dans leur coin. Déjà qu'on les a destitués, on ne va pas, en plus, leur taper sur la tête, les accabler ! Or c'est pourtant ce que fait Gary. Une fois Ajar en piste, une fois accréditée l'autonomie du mystérieux mais admirable auteur de *La Vie devant soi* et *Gros-Câlin*, il prend un malin plaisir à se servir de lui pour se déverser sur la tête des tombereaux d'injures et d'ordures. Il le fait sous son propre nom, dans les rares entretiens qu'on lui demande encore et où il ne perd pas une occasion de répéter : « comme Ajar est jeune et talentueux ! comme je suis vieux et démodé ! » Mais il le fait surtout sous le nom d'Ajar lui-même et c'est toute l'affaire de *Pseudo*, ce livre magnifique et grinçant qui est, entre autres, consacré à dézinguer « Tonton Macoute » : m'as-tu-vu, charlatan, maniaque de la publicité, détrousseur de cadavres, voleur de manuscrits, vaniteux, mégalo, vieille pute, belle ordure, profiteur du malheur des autres, pilier de bordels, traître, petit-bourgeois envieux et lâche, vaniteux et avare, massacreur de populations civiles pendant la guerre, faux résistant – tout y passe, aucune accusation n'est trop féroce, aucun procès d'intention trop ignoble, on dirait qu'il est allé chercher, pour les reprendre au compte d'Ajar, donc au sien, les pires calomnies colportées par ses pires adversaires ; et voilà ce personnage magnifique, ce mélange de diplomate et de grand aventurier, le mari de Jean Seberg et le résistant de la toute première heure, le gaulliste, le combattant, le minoritaire-né que l'on voit, en mai 68, rôder autour des barricades avec sa rosette et son costard croisé, le cinéaste des *Oiseaux vont mourir au Pérou* qui osa répondre un jour que s'il faisait des films c'était par amour, « oui ma cocotte, par amour, ça te défrise peut-être, mais je n'ai pas de raison plus sérieuse à te donner, on fait du cinéma parce qu'on aime une femme à en mourir », voilà cet authentique héros moderne qui devient, sous sa propre plume une risible caricature. Il ne se contente pas de changer de nom, il traîne dans la boue son ancien nom. Il ne lui suffit pas de dire à son image « pousse-toi de là que l'œuvre s'y mette », il la pousse lui-même, la bouscule, s'acharne. Et des fois qu'on n'aurait pas compris, ou que le livre vous ait échappé, il vous alpague chez Lipp, ou rue du Bac, devant chez Gallimard – longue silhouette taciturne, bottes en plein été, foulard rouge ou violet en guise de cravate, barbe de Tartare : « vous avez vu ce que ce salaud m'a mis, l'injustice, l'ingratitude... »

5. Car entre-temps il a fait un dernier geste, plus fou encore, plus périlleux – et encore plus inédit, si faire se peut, dans la longue histoire des pseudonymes : sachant qu'il a détruit son personnage mais qu'un écrivain digne de ce nom ne peut pas fonctionner sans personnage du tout, il s'est dit « qu'à cela ne tienne ! je vais m'en inventer un autre ! » – et c'est l'entrée en scène, à l'automne 1975, de Pavlowitch... Car qu'est-ce qui se passe, au juste, quand il invente Paul Pavlowitch – ce neveu de derrière les fagots à qui il fait endosser la paternité des Ajar ? Il y a là un corps, désormais. Un nom. Un vrai type, chair et os, qui est censé avoir écrit les livres et décidé, pour avoir la paix, de les signer sous un pseudo. Il y a là un personnage secret, farouche, grand silencieux avant la lettre, genre quatre pages dans *Paris-Match* pour dire qu'il ne reçoit pas les journalistes – le type même de personnage que réclame

l'esprit du temps et que les gens vont adorer : et c'est lui, ce personnage, qui va prendre les coups à sa place, recevoir les hommages qui lui sont dus, briller, se dérober, accepter les interviews ou, ce qui revient au même, les refuser, porter les livres en un mot, en répondre devant l'opinion et le décharger, lui, de cette part de la vie littéraire dont il était si las et qu'il assumait, depuis quelques années, si mal. Pavlowitch est sa créature. Son Golem. Il est le bon pantin qu'il peut marionnettiser comme il sait que doit l'être, à l'âge moderne, une marionnette. Et il est, lui, Gary, le dibbuk qui, comme dans *La Danse de Gengis Cohn*, son grand roman maudit, squatte la conscience de son pantin, lui dicte ce qu'il doit dire, le briefe, le débriefe : « décris Copenhague... raconte l'interview avec *Le Monde*... pas si vite... je veux les détails... par quels mots tu as commencé... ce que tu as fait pour les services de presse... fais bien le sauvage, hein... le bandit égaré en littérature... le mauvais coucheur génial... » Gary est content. C'est très gai. Il a l'impression, pour la première fois de sa vie, de pouvoir écrire de beaux romans dans son coin, sans avoir à se soucier de courtiser les journalistes ou de casser la gueule aux critiques insultants. Il a l'impression, surtout, d'être le premier écrivain à avoir trouvé *la* solution de l'impossible équation beuvienne :

deux identités, vraiment deux, un vrai double à qui sous-traiter la part séculière de la gestion des livres – et vogue la galère de l'œuvre à l'abri du plus complaisant des pavillons ! Sauf... Oui, sauf qu'il a peut-être fait, pour le coup, un pas de trop : car, avec l'invention de ce double, on n'est plus dans la gentille logique du masque que l'on peut, à son gré, mettre ou ôter – c'est le masque plus le clone, la tradition du pseudo plus celle de Frankenstein et c'est le décor planté pour que la tragédie commence.

6. Car, très vite, Pavlowitch fait des siennes. Ce sont d'abord des petites choses. De toutes petites choses. Un mot pas prévu à un journaliste. La présence de sa compagne, à Copenhague, lors de la première rencontre avec *Le Monde*. Le costume de velours blanc dont il avoue s'être affublé pour séduire Simone Gallimard – « non mais, qui est-ce qui m'a foutu un Golem pareil ? Ajar ne doit pas séduire ! il doit être rogue ! tu m'entends : rogue ! désagréable ! » Les nouvelles qui tardent à venir. Ce con qui a cru pouvoir se débrouiller seul, sans consignes, pour la rencontre avec *La Dépêche du Midi* et qui n'a appelé ni avant ni pendant. J'imagine Gary, certains soirs, dans sa chambre, la main sur le téléphone qui ne sonne pas – exactement comme ces types qui ont eu la

flemme d'accompagner leur femme dans une soirée et qui, passé minuit, deviennent fous de jalousie, et d'inquiétude – « où étais-tu ? pourquoi n'as-tu pas appelé ? tu aurais dû savoir que je serais inquiet – un pépin, je me suis dit... un accident... aucun moyen, moi, de te joindre... ! » Jusqu'au jour où le « pantin » commet deux erreurs vraiment sérieuses : il envoie sa photo à la presse alors qu'il était entendu qu'il devait la jouer farouche, grand silencieux, etc. (« je n'ai pas flingué Gary le m'as-tu-vu pour me retrouver avec un Pavlowitch qui veut sa gueule dans les journaux ») ; et il donne surtout une biographie, sa vraie biographie, qui, outre le fait qu'elle révèle sa parenté avec lui, Gary, donne un excès de corps et de présence à celui qui ne devait rester qu'une image, un signifiant, une ombre (Gary, dans *Vie et mort*, dit – mais c'est la même chose – un « mythe »). On commence par forer un nouveau moi profond. On le dote, ce moi profond, du personnage ad hoc. Mais voici que de ce personnage, on remonte à un moi social qui n'était, lui, pas au programme. Et tout ça pour une raison très simple que, depuis la nuit des temps, ont comprise les sages et les rabbins du Talmud : il n'y a jamais de Golem parfait ; il y a toujours de l'eau dans le gaz du Golem ; il arrive toujours un moment, dans tous les ordres, où le Golem s'anime, échappe à son créateur, prend vie.

C'est vrai en politique : c'est toute l'histoire de Chirac et de la « trahison » de son « ami de trente ans ». C'est vrai en amour : éternelle déconvenue des Pygmalions voyant leur créature voler de ses propres ailes, leur échapper. C'est vrai, aussi, en littérature : et c'est ce que commence de découvrir Gary – même s'il n'en est, encore, qu'au début de son cauchemar. Théorie générale du Golem ?

7. Il faut s'arrêter un instant sur la personnalité, au moment des faits, de Paul Pavlowitch. Le bon neveu, d'accord. Le type fauché, prêt à rendre service, surtout si ça permet de payer les dettes, bien sûr. Mais c'est aussi un fou de littérature. C'est un type qui dit de lui-même qu'il est, depuis vingt ans, « au bord de la création ». Il doit avoir des débuts de romans dans ses cartons, des bouts-rimés dans ses tiroirs. Il a une gueule d'écrivain. Une quasi-vie d'écrivain. Lui aussi a une mère, Dinah, la cousine de Nina, qui lui disait : « tu seras écrivain, mon fils, et écrivain français. » Bref c'est l'incarnation même d'un rôle que je connais bien (Butel, avant *L'Autre Amour*, J.-P. jusqu'aux *Enfants de Saturne*) et qui est répertorié comme tel, d'ailleurs, dans la comédie moderne : le rôle de l'écrivain sans livres. Or voici qu'à cet auteur sans œuvre s'offre une œuvre sans vrai auteur – voici qu'à ce fondu d'histoire lit-

téraire, à cet homme qui ne rêve que de création, d'inspiration, s'offre la chance inouïe d'être le témoin, et un peu l'acteur, de ce miracle qu'est toujours la naissance d'un, puis de plusieurs grands livres... Ils ne devaient pas être son genre, au début, ces livres. Il devait se dire : « j'aime pas ça ; j'aime pas Ajar ; moi, ce que j'aime c'est Des Forêts, Blanchot, tout le tralala. » Mais enfin il les signe. Il les dactylographie la nuit, rue du Bac, dans la pièce à côté du bureau de son oncle. Il fait une retouche par-ci. Une correction par-là. Gary lui-même lui dit, le jour où il écrit l'épisode de la rencontre avec l'éditeur, à Copenhague : « vas-y ; fais moi un plâtre ; c'est toi qui, après tout, étais là-bas », ou bien : « la maison n'avait pas deux étages ? bon ! arrange-moi ça ! je suis fatigué, je vais me coucher », ou bien encore, le jour où l'autre lui signale une phrase reprise, par mégarde, d'un de ses livres : « reprends le paragraphe, tu feras mieux en réécrivant. » Et puis il y a cette évidence enfin, si énorme, à ses yeux, qu'il tarde à en prendre la mesure : Gary s'inspire de lui ; il fait Ajar, ou du moins ses personnages, à son image à lui, Pavlowitch ; il l'observe, le fait parler, l'écoute, il passe des journées, mine de rien, à lui arracher des confidences sur sa jeunesse, ses frustrations d'écrivain manqué, sa mère, Dinah, si semblable à sienne et, pourtant, si différente, ses amours, ses hantises, ses rages, ses ratages et telle est l'impudence de cet homme, ou sa goujaterie, ou peut-être (dieu sait !) l'implacable logique d'un « beuvisme » qui aurait le dernier mot en faisant irrésistiblement remonter du moi profond au moi social et en contraignant l'œuvre à ressembler à son personnage, que ce sont ces mots mêmes, ces pauvres confidences, ces aveux terribles et brûlants, qu'il retrouve, le lendemain, sous sa porte, dans le paquet de feuillets qu'il a ordre de dactylographier.

8. J'ai beau ne pas connaître Paul Pavlowitch. Je connais son témoignage – j'ai lu, et relu, le très émouvant *Homme que l'on croyait* qu'il publie après la mort de Gary. Et je suis convaincu que, dans la tête d'un type qui vit ça, défilent toute une série d'états de conscience qui n'ont plus grand-chose à voir avec ce qu'y avait greffé le maître des Golems. La détresse d'abord, le sentiment d'être nié, broyé, humilié : « est-ce qu'il se rend compte de ce qu'il me fait ? mon cœur mis à nu... mes impuissances livrées aux regards... ma vie privée... mes espoirs... je suis comme le valet de Manet, modèle de l'enfant aux cerises, qui va se pendre dans un placard. » La révolte : « ce salaud ! ce type sans scrupules ! n'est-il pas allé jusqu'à écrire et, par conséquent, me faire taper, que " Tonton Macoute " avait

couché avec ma mère et que j'étais peut-être le fruit de leurs amours incestueuses ? ça, en tout cas, il le paiera ! » La revendication froide : « secrétaire, d'accord, c'était prévu ; mais source ? inspiration ? faut un autre contrat pour ça ; faut qu'il augmente ma commission. » Une forme d'émerveillement : « j'avais un livre en moi, je ne le savais pas, mais je l'avais. » De déception : « c'est quand on me le révèle qu'on me le retire – c'est quand le livre prend forme qu'on me l'arrache. » Le sentiment, certaines nuits, devant les feuillets manuscrits de Gary, que ce n'est pas une telle affaire, finalement, la littérature : « quelques tics, toujours les mêmes, c'est facile, je peux le faire. » Peut-être s'y essaie-t-il, d'ailleurs – peut-être se dit-il « chiche » et s'aperçoit-il qu'il y arrive en effet, qu'il écrit *presque* comme son oncle : « ses trucs que je connais par cœur, ses histoires qui, de toute façon, sont à moi ; il me manque un " je ne sais quoi ", mais se peut-il que le secret littéraire se résume à ce " je ne sais quoi " ? ce que j'écris ne vaut-il pas, même *sans* le " je ne sais quoi ", les torchons qu'il me donne à taper ? » Et puis la question enfin qui lui brûle les lèvres, celle qu'ont posée, avant lui, tous les inspirateurs ou inspiratrices des grands écrivains classiques, la question de Zelda à Fitzgerald, de Jane à Paul Bowles, de Bettina von Arnim aux romantiques allemands ou d'Adriana Ivanchich à Hemingway, la question : « qu'est-ce qu'un auteur ? est-ce celui qui raconte ou celui qui écrit ? », l'apostrophe du modèle à son peintre, d'Olga, Dora ou Fernande à Picasso : « c'est peut-être toi qui m'as peinte mais c'est moi qui suis sur la toile », l'énigme de l'œuvre, de ce qui fait vraiment son secret : un imaginaire ? des fantasmes ? des anecdotes rares ? un roman familial ? tout cela leur est, il le sent bien, si parfaitement commun – la question de savoir, en un mot, s'il n'est pas, un peu, beaucoup, tout à fait Emile Ajar.

9. Atmosphère, rue du Bac, des séances de travail nocturne. Rancœur croissante de l'un. Méfiance de l'autre, qui s'en aperçoit. Tension à couper au couteau. Rages rentrées. Violence feutrée. Nuits entières sans se parler – juste s'observer, s'espionner, se haïr parfois, ruminer ses griefs, se maudire. Et les idées les plus folles, forcément, qui passent à travers les têtes – comment en irait-il autrement quand s'installe un tel malentendu et qu'on devient comme deux malheureux, condamnés l'un à l'autre, ensorcelés ? C'est Paul qui tape sur son Olympia comme si c'était la tête de Romain ou qui, certains soirs, va sournoisement sonner à la porte d'entrée puis, très vite, retourne s'asseoir : il sait que, dans l'état de nervosité où il est, Romain va

prendre peur, croire à un rôdeur ou à une provocation du FBI ; c'est Romain qui l'observe à la dérobée, œil mauvais, bouche amère : « qu'est-ce que ce fils de pute est encore en train de me préparer ? est-ce qu'il croit que je ne le vois pas venir avec son histoire de conseiller d'édition au Mercure ou avec ces traductions bidon qu'il compte signer sous *notre* nom ? » C'est Paul, cruel : « tiens j'ai écrit ça ; on va inverser les rôles pour une fois, c'est toi qui vas signer – qu'est-ce que ça peut bien faire, vu que ce que tu signes ne marche plus? » C'est Romain, qui fulmine : « ce salaud fait semblant de blaguer, mais il essaie de me doubler ; j'en suis sûr, maintenant, il essaie de trouver le moyen de se mettre à son compte et de me doubler. » C'est Paul encore qui rêve à la mort de Romain – enfin « rêve » n'est peut-être pas le mot... mais y penser... il ne peut pas ne pas y penser... Romain est si vieux... si usé... ne l'a-t-il pas entendu, certains jours, immobile, sur son lit, tel un gisant, lui dire « je m'entraîne à mourir » ? il y pense donc... il se demande ce qu'il adviendra de lui, ce jour-là... est-ce qu'il continuera de toucher sa part de royalties ? est-ce qu'on lui demandera l'éloge funèbre ? des articles pour les journaux ? des témoignages ? est-ce que... il est effrayé, lui-même, par l'idée qui lui vient... mais sait-il seulement ce que ce salaud a prévu ? sait-il ce qu'il y a dans ces fichus contrats qu'il passe son temps à refaire avec ses innombrables avocats ? supposons qu'il casse sa pipe entre deux contrats... supposons qu'il ait l'idée de disparaître dans un moment de flou, de non-droit... imaginons même que j'aille les voir, moi, les avocats : « Romain n'a plus la main ; ce qu'il écrit n'a plus ni queue ni tête ; c'est moi qui reprends le business ; on marche ensemble ; on partage... » ; ce sont, à l'inverse, les crises de paranoïa de Romain, au moins aussi aiguës que celles de son neveu : « et si le FBI s'en mêlait pour de bon ? ils ont eu la peau de Jean Seberg... celle de notre enfant, Nina-Hart... imaginons qu'ils aient la mienne... supposons qu'ils aient dans l'idée de me liquider plus tôt que prévu... ils prendraient contact avec Paul... ils essaieraient de retourner les Gallimard... ils ont sûrement les moyens, oui, de faire chanter les Gallimard... tous ces dossiers pas nets, ce passé noir de la Maison pendant la guerre... » Et puis, au milieu de tout ça, dans ce chaos, ce mélange de fièvres et d'hallucinations réciproques, ces manigances, une œuvre magnifique qui affirme sa présence.

10. J'imagine Gary dans ces semaines. Il est trois heures du matin. Paul est parti. C'est la mauvaise heure de la nuit, celle, disait Fitzgerald, ou Grenier je ne sais plus, de la nuit véritablement noire de

l'âme. Ou bien c'est le lendemain. Il est midi. Il a passé une nuit atroce, draps moites, sommeil qui ne vient pas, visions de cauchemar. Il est seul. Il ne prend plus le téléphone. Il passe des heures, prostré, à rêver sur des photos de vacances à Majorque avec ses copains Mitchell et Berst, ou, debout, derrière son rideau, à tambouriner sur le carreau. Il pense à Paul. Toujours à Paul. Il pense au piège où il s'est fourré et dont Paul est devenu le gardien. Si seulement il ne revenait pas, ce soir... S'il appelait pour dire : « écoute, Tonton Macoute, la barbe ! ce soir je vais aux putes, tu te démerdes sans moi... » Oh ! ce serait pire ! Car qui, alors, pour dactylographier la suite du chapitre ? Qui, surtout, pour lui finir le récit de la rencontre avec Yvonne Baby ? Et s'il mourait... Il en a marre de ces avocats qui passent leur temps à tirer des plans sur la comète de sa mort à lui, Gary. Alors il se dit : « et si c'était Paul qui mourait, pour une fois ? s'il crevait, là, en ce moment même, d'une overdose d'amphétamines ? ou s'il prenait un mauvais coup, dans un mauvais lieu, est-ce que je sais, moi, où il va traîner quand il s'en va, au milieu de la nuit, gueule fermée, look de gangster ? » Eh bien ce serait pire encore ! Ce serait *le* pire des scénarios ! Car il voit ça d'ici : la presse pleine de l'événement... l'émotion... les titres débiles sur « le génie foudroyé » ou

« le jeune poète fauché en pleine gloire »... Est-ce qu'il se voit, lui, dans ce climat, ramener sa fraise pour dire : « Ajar n'existait pas, le jeune génie, c'était moi » ? Est-ce qu'il se voit venir, sur le cercueil de son neveu, coqueluche du Tout-Paris, récupérer ses droits : « notre regretté ami n'était qu'un prête-nom, un Golem, un clone » ? Et supposons qu'il attende, qu'il laisse passer la vague : comment réagiraient les chiens ? se laisseraient-ils dépouiller, si facilement, de leur Rimbaud ? Il les entend déjà, ces cons qui le détestent et le tiennent pour un vieil escroc : « tiens, comme c'est bizarre qu'il ait attendu pour se dévoiler ! ». Ou bien : « trop facile de récupérer le bébé au moment où l'autre n'est plus là pour protester, donner sa version de l'affaire ! ». Et supposons même qu'il continue, pour prouver sa bonne foi, de faire tourner la machine et de donner, sans Paul, d'autres Ajar – est-ce qu'il ne se trouvera pas encore des salopards pour insinuer : « ils étaient écrits avant ; ça sort maintenant, mais rien ne prouve qu'ils n'aient pas été écrits du vivant de Pawlovitch et par lui » ? Paul mourrait en gloire, voilà la vérité. Il emporterait, sinon l'œuvre, du moins l'ambiguïté sur l'origine de l'œuvre, avec lui, dans la tombe, et pour l'éternité. Et l'hypothèse de sa mort est donc, à l'évidence, la plus catastrophique de toutes. De quelque façon qu'il tourne le problème, Gary est coincé. Dans tous les cas de figure, il est l'otage de son Golem, le prisonnier de son pantin. Paul le hante. Paul l'obsède. Paul est en train de le rendre fou, de lui pomper l'âme, de le tuer à petit feu. Et c'est comme s'il vivait, au fond, une sorte de réversion monstrueuse de ce mécanisme du dibbuk qui, au début, l'enchantait : c'est Paul qui devient le dibbuk, il est le dibbuk de son dibbuk – c'est la nuit de l'âme, oui, un supplice, un cauchemar, il en est là.

11. Reste le grand mystère de l'affaire Gary. Il y avait un moyen simple, évidemment, de tout arrêter. Il y avait un geste à faire, un mot à dire, pour se réapproprier les livres, se libérer de l'emprise de Paul et se réveiller du cauchemar. Or ce geste il ne le fait pas. Ce mot qu'il suffisait de prononcer, là, tout de suite, dans une de ces conférences de presse qu'il adorait et qu'il donnerait, celle-là, en présence de Paul – mais un Paul bien vivant, pour le coup ! un peu piteux, mais bien vivant ! – cette phrase toute simple : « stop ! Ajar c'était moi ! c'était un autre, mais c'était quand même moi ; Pavlowitch était un leurre ; il est là, d'ailleurs ; il vous le confirme ; les contrats sont en ordre ; les preuves sont disponibles », cette phrase donc, non seulement il ne la prononce pas, mais chaque occasion qu'il aurait de le

faire semble être l'occasion de s'enfoncer un peu plus, de resserrer le lacet du piège et d'épaissir, au fond, la trame du malentendu. Il ne dit rien quand Piatier le découvre. Rien quand Royer, qui l'aime et l'admire, croit l'avoir démasqué. Il pourrait prendre prétexte de ce Goncourt qu'il a eu, vingt ans plus tôt, avec les *Racines* et qu'il est donc en train de recevoir pour la seconde fois au risque d'ajouter l'escroquerie à la facétie et de vraiment léser, pour le coup, un « jeune auteur » méritant – ce n'est toujours pas l'heure. Il y a dix autres occasions encore, dix tangentes qu'il pourrait prendre afin de sortir du jeu – ce n'est jamais le moment, rien ne semble pouvoir arrêter le train, lancé à plein régime, du malentendu et de l'imposture. Et le fait est que ce même Romain Gary que Paul voyait si amer quand, le matin, au tabac de Madame Gahier, rue du Bac, devant ses tartines et son café très allongé, il découvrait que les journaux citaient, comme possibles Ajar, Aragon ou Queneau, mais pas lui, ce Gary qui, j'en suis sûr, brûlait de tout révéler (ah ! la presse du lendemain ! le bruissement dans les salons ! les regards sur son passage, chez Lipp, à l'heure de la tête de veau ou de l'« entrecôte pour deux » ! les chuchotements aux tables voisines ! les messages qu'on lui ferait porter ! les inconnues qui l'aborderaient pour lui dire qu'elles aiment encore plus Ajar maintenant qu'elles savent que c'était lui !), ce Gary-là s'enferme dans le silence. On a peine à s'en souvenir et, plus encore, à l'admettre : il se prive jusqu'au bout de ce plaisir et va mourir avec son secret.

12. A ce mystère, il y a une première raison : le souci étrange, chez ce rebelle-né, de la respectabilité, du qu'en-dira-t-on. Que va penser le Quai ? Comment va réagir le fisc ? Que vont dire les critiques, dont il s'est moqué ? Que fera l'autre écrivain – Decoin, je crois, ou Modiano – à qui il a, finalement, volé son Goncourt ? Et Couve ou Sauvagnargues, ces cons, qui ne seront pas près, après une affaire pareille, de le réintégrer dans la Carrière ? Et les Compagnons, sa vraie famille, la seule à laquelle il ait jamais eu le sentiment d'appartenir – que vont-ils penser, et dire, de ce zozo qui les a déjà tellement choqués, dix ans plus tôt, le jour des obsèques du Général, en débarquant à Colombey le cheveu long, tête nue, engoncé dans sa vieille vareuse militaire trop petite et qui réapparaîtrait, maintenant, comme l'auteur de ces pitreries, doublées d'un hold-up littéraire ? Et Malraux ? Qu'aurait pensé Malraux ? C'est le contemporain capital, Malraux... C'est l'écrivain dont de Gaulle se sentait autorisé à lui parler chaque fois qu'il le voyait... Oh ! il n'est pas chien, Gary... Pas

envieux pour deux sous... Je n'ai jamais trouvé un texte de lui où il y ait la moindre trace de rancune, ou d'amertume, à l'endroit du grand aîné qui lui avait volé, entre autres, l'affection du Général... Aussi est-il là, le jour de sa mort, dans le tout petit cercle des intimes admis à veiller le catafalque dans le salon des Vilmorin à Verrières... Il est encore là, le surlendemain, dans la Cour carrée du Louvre, pour l'hommage de la nation et la naissance de la légende... Et il ne peut pas ne pas se dire « on a eu le même " programme " ; la même absence de père ; la même enfance couverte de femmes ; le sens de l'aventure ; le goût du farfelu ; le gaullisme ; la Résistance ; le petit commerce de chapeaux, à Wilno, qui est l'analogue de l'épicerie de Bondy ; Lesley Blanch qui est une sorte de Clara ; sauf que, chez lui, le programme fait légende tandis que, chez moi, il tourne à la farce ; lui commence farfelu mais termine dans le sublime – moi je débute diplomate, mais finis comme un voyou aux prises avec un autre voyou dans des problèmes de propriété littéraire qui peuvent, si j'en crois maître Bossat, me mener en correctionnelle ; Malraux rafle la mise et entrera au Panthéon – alors que j'en suis, moi, à torcher des romans sur la Goutte-d'or dont je n'ose dire qu'ils sont de moi ; tout mon destin est là ; le signe de mon échec ; quelle pitié ! quelle dérision ! » A-t-il manqué à Gary, dans son entourage immédiat, quelqu'un pour le ramener à l'évidence et lui dire : « ton aventure est belle, au contraire ; elle est terrible, mais très belle ; elle vaut, et ô combien ! celle du dernier Malraux, burgrave du gaullisme et ministre » ? Je ne sais pas... Je crois que nul, en fait, ne pouvait rien contre ce sentiment d'infamie qui le gagnait. Il a passé toutes ces années, comme le dira Pavlowitch après sa mort, à redouter une sorte de « dégradation », de cérémonie militaire à l'envers, avec « arrachage des épaulettes », de la rosette et tous ses attributs de grand Français ; c'est une partie de l'explication.

13. Mais il y a une autre explication. Gary, quand on compte bien, avait quand même mis dans le secret un sacré paquet de gens. Paul, donc. Mais aussi Robert Gallimard. Leïla Chellabi, sa dernière compagne. Jean Seberg et son mari Denis Berry. Martine Carré, sa secrétaire. Gisèle Halimi et, au moins, sept autres avocats. Diego. Pierre Michaut. Sans compter une pléiade d'amis de jeunesse comme les Agid – ou comme cette Lynda Noël qui a vu, à Majorque, chez lui, le manuscrit de *Gros-Câlin* posé sur sa table de travail, écrit de sa main, raturé. Or voici la dernière et plus extraordinaire bizarrerie de cette affaire : tout ce monde a beau voir et savoir ; ça a beau parler et papoter ; Lynda Noël,

notamment, a beau crier dans tout Paris – et elle le fait ! – qu'elle a « vu, de ses yeux vu », ce fameux manuscrit ; on n'entend pas, on n'écoute pas ou, si on écoute, c'est distraitement, sans y croire. Est-ce le personnage de Pavlowitch qui a pris, effectivement, trop de poids ? L'œuvre qui, par un effet de mimétisme voulu par Gary lui-même, s'est mise à trop ressembler à son prétendu auteur ? Gary s'est-il trop noirci, a-t-il trop dévalué son propre personnage et les gens se disent-ils : « un homme aussi grotesque ne peut pas être l'auteur d'une œuvre aussi géniale » ? Est-ce le dispositif qui est devenu trop subtil ? le jeu de miroirs trop diabolique ? Le fait d'avoir, dans *Pseudo*, mis en scène un Tonton Macoute, ridicule et vaniteux, tentant de faire courir, justement, le bruit qu'il est Ajar ou mieux – plus démoniaque encore ! – le fait de décrire un Pavlowitch qui, dans ses moments de délire et de haine amourée pour son oncle, songe à lui faire lui-même cette farce et à lui mettre sur le dos la paternité de livres dont la liberté de ton lui sera, pense-t-il, fatale, tout cela a-t-il définitivement brouillé les pistes ? désamorcé l'information ? « Gary, auteur de *La Vie devant soi* ? vous n'y pensez pas ! c'est un coup de Pavlowitch... une mystification d'écrivain... » Toutes ces raisons ont joué. A elles toutes, elles ont achevé de fermer le piège. Et le fait, en tout cas, est là : on veut bien que l'oncle ait influencé le neveu ; on peut aller jusqu'à penser, comme Grenier, qu'il a été plagié par un « jeune auteur » et qu'il ne faut pas « en vouloir » au « jeune auteur » ; mais qu'il soit Ajar, que cet écrivain à bout de souffle puisse être l'auteur caché de cette œuvre magnifique, voilà ce qui, à mesure que le temps passe, devient inconcevable. Peu importe que ce soit vrai, c'est invraisemblable. Peu importe que Lynda Noël ait reconnu son écriture sur le manuscrit de Majorque, cette écriture est invisible. On peut crier le nom de Gary sur les toits, on peut prendre des airs de mystère pour dire : « vous voulez un secret ? Ajar, c'est Gary », c'est trop tard, c'est fini, on a cru qu'il y avait un secret, il n'y en a plus et le nom, donc, ne prend pas. De même qu'il s'était plaint, un jour, devant moi, de n'être jamais « cité », de même qu'il observait l'étrange répugnance de ses contemporains à imprimer, juste imprimer, les quatre lettres de son nom – comme si, disait-il, ces quatre lettres qui, au demeurant, étaient déjà celles d'un pseudo et signifiaient, en russe, « le feu », leur brûlaient la langue, la plume, la page – de même l'idée qu'il soit Ajar peut être évoquée par l'un, reprise par l'autre pour faire de la copie, elle ne circulera jamais longtemps et, à la lettre, n'impressionne pas. Toute-puissance du visible. Omnipotence des clichés. Il a inventé Ajar pour leur échapper, il en est plus que jamais le prisonnier. Gary comprend, un jour, qu'il ne sera plus jamais démasqué. Il ne se dévoile pas car il sait que, s'il le faisait, on ne le croirait plus.

14. Sans doute pourrait-il encore sortir les contrats des coffres, faire donner ses avocats et déclencher, lui vivant, le processus qui, en somme, s'est déclenché après sa mort. Peut-être pourrait-il dire aussi : « je reviens à Gary-Gary ; ce n'est pas si mal, après tout, de n'être que Gary-Gary ; on me traite bien dans les dîners ; on ne me bouscule pas dans les hôtels ; avec de la chance, peut-être récupérerai-je, un jour, le fauteuil russe à l'Académie – et pour Ajar... oh ! laissons le temps au temps... il sera toujours temps de récupérer Ajar... » Mais les dégâts, à ce stade, sont trop profonds. Les lésions, irréparables. C'est comme un chaos en lui. Un tumulte. C'est comme une perte d'être au profit d'un jumeau secret qui se nourrit de sa substance, le pompe, le vide et risque de le laisser exsangue. Car je recompte. Il a cassé la marionnette. Massacré le personnage et ses anciennes protections. Il a brisé la statue intérieure, sa chère statue aimée qui l'avait sans cesse accompagné et qui, pour la première fois, dans les moments de détresse extrême, la nuit, quand il l'appelle, ne répond plus. Et quant à son moi social, sup-

port physique de tous les autres, c'est comme une enveloppe vide, une baudruche, sans attache ni vocation – impuissante à renouer le lien avec cette autre moitié de soi qu'est le « moi profond », auteur des Ajar. Ce Gary-là peut bien continuer de s'en prendre aux structuralistes et à leur anti-humanisme théorique. Les structuralistes, en retour, peuvent toujours le tenir pour le représentant périmé d'une philosophie traditionnelle de l'homme, du sujet et de l'auteur. Il est, de tous les écrivains modernes, celui qui est allé le plus loin dans la déconstruction dudit auteur – il est le seul, vieux maître, qui, au terme d'une ultime et terrible ruse de l'Histoire, soit allé au bout de cette perte d'identité dont vous faisiez la théorie mais qu'il a, lui, vécue dans sa chair, payée au prix du sang. Ce Gary-là n'est plus multiple, il n'est rien. Il n'est plus complexe, il est vide. Il est au bout d'un processus qui l'absente de son propre être et le confronte à son néant. Quand on en est là, tout est fini. Il reste à émanciper Diego, mettre un peu d'ordre dans ses affaires, relire une dernière fois les contrats – et accomplir le dernier geste : celui qui, en liquidant l'inutile moitié de soi, va mettre la réalité des corps à l'unisson de celle des âmes.

15. L'opération a lieu le 2 décembre 1980, en fin d'après-midi, après un déjeu-

ner, au Récamier, avec son éditeur, Claude Gallimard. J'imagine ce déjeuner. J'imagine Gallimard : « je voulais vous remercier... si, si, vous remercier... c'est tellement bien, Ajar... c'est tellement important pour Simone... je n'y croyais pas, au début, je ne vous le cache pas... je suis comme vous, n'est-ce pas... vieux jeu, un peu vieille école... mais c'est que ça marche, mon cher ! ça marche du feu de Dieu ! vous savez à quoi ça me fait penser ? vous, mon cher... vous, au début... vos tout premiers succès... ça fait quoi ? trente ans déjà ? mais oui, trente ans... comme le temps passe... notez : j'ai peut-être une idée... vous allez sursauter, mais ne dites pas non, réfléchissez... on fait des livres comme ça, de nos jours... ce n'est pas le genre de la Maison, je vous l'accorde – mais on l'a bien fait avec Berl et Modiano et, là, il me semble que ça s'impose... un livre au magnétophone... " Gary-Ajar, entretiens... " deux générations d'écrivains... tout ce que l'oncle et le neveu n'ont jamais osé se dire et qu'ils s'enverraient à la figure par le truchement du magnéto... ce serait vivant... ça marcherait... et vous, hein, vous... je suis sûr que ça vous rajeunirait... ça montrerait que Romain n'est pas mort, qu'il ne s'est pas coupé de la jeunesse... » Gary ne sait que dire. Une part de lui songe à répondre : « oui, bien sûr, quelle bonne idée ! » – ce serait la fin de l'histoire, la dernière spire de la spirale, un reflet sans réplique dans le jeu pervers de ses miroirs – la vraie naissance d'Ajar, définitive, sans conteste. Un autre lui-même voudrait protester, tout balancer, c'est le moment : « taisez-vous, écoutez-moi, vous ne vous rendez pas compte de la merde où je nous ai tous mis » – mais à quoi bon ? le croirait-il ? n'irait-il pas, aussitôt, retrouver Odette Laigle : « ce pauvre Romain ! définitivement pété les plombs ! tu connais sa dernière ? il m'a ressorti le serpent de mer sur Ajar qui serait lui ! la jalousie l'étouffe » ? Et quel ennui avant qu'on ne ressorte les contrats, les décharges de Pavlowitch, les manuscrits recopiés de sa main, les preuves ! Non, tout est trop compliqué, désormais. Trop embrouillé. Alors, fatigué d'avance, il se tait. Il fume un dernier cigare et se tait. Claude lui propose son chauffeur, qu'il refuse. Il rentre à pied rue du Bac, sous la neige, sans se presser. Il range quelques affaires. S'étend sur son lit, presque nu, en slip rouge, comme il le fait souvent à cette heure de l'après-midi. Il sent une torpeur qui le gagne. Il se redresse. S'allonge à nouveau. Au-dessus de sa tête, les premiers bruits de la nuit qui ne lui font plus peur. Il ferme les yeux. Il voit son père qui lui sourit. Ses camarades morts, toute l'escadrille ! dont il aurait été mieux inspiré de faire de la littérature. Jean Seberg sur son bûcher, dans le *Jeanne d'Arc* de Preminger. Et sa mère enfin qui lui dit : « voilà, Romain, dors, ce n'est rien, mon chéri, dors. » Elle a raison. Ce n'est rien. Il a juste tué le mauvais jumeau. La mort comme une dernière cadence.

7

Voilà.

Il est là.

Tel que je l'imaginais.

La chevelure complètement blanchie, ébouriffée par le vent qui souffle maintenant en rafales. Le visage déjà plongé dans la pénombre, mais je devine le nez aigu, et le léger embonpoint. Une veste de toile à carreaux, qui fait années soixante et lui donne l'air frileux. Et puis cette façon, accoudé au parapet de pierre, de regarder de l'autre côté, vers Gibraltar – je ne sais pas ce qu'ils ont tous, c'est une manie : ils ne peuvent pas arriver à Tanger, et être donc face à la mer, sans dire « regarde ! on voit l'Espagne » ou, au contraire « zut ! il y a de la brume ! on ne voit pas l'Espagne, aujourd'hui ».

Quelle heure est-il ?

Huit heures moins dix.

Dix minutes d'avance, donc.

Dix minutes pour le regarder fixant le « cap extrême » de l'Europe ; le mouvement des nuages, rapides, en route vers ce côté-ci des terres ; les camions, au pied de l'esplanade : « c'est ça, le port de Tanger ? cet énorme garage à camions ? » ; puis, enfin, la petite femme brune et pimpante, gros peigne carré dans le chignon, déjà habillée pour le dîner, genre « je suis à Tanger, porte de l'Afrique, perle du Détroit, phare de l'Orient ; où est Paul Bowles ? où sont Matisse et Delacroix ? » Et dix minutes, surtout, pour bien préparer mes premiers mots, mon premier regard, mon entrée en scène.

Car c'est essentiel, l'entrée en scène. J'ai deux convictions sur la question. Deux doctrines apparemment contraires mais, en réalité, complémentaires.

Premièrement, le théorème dit de l'invariance des rapports de forces. C'est l'histoire, drôle et terrible, d'Armando à l'époque de son séjour en prison : il a les menottes aux poings ; il est encadré par deux carabinieri ; on lui a juste donné la permission d'une nuit, le temps d'assister au colloque organisé, autour de son « cas », par le dernier carré de ses psy ; or voici qu'approche l'heure du dîner qui a toujours été, dans son système, à l'époque des grands colloques où se pressait le gratin de l'intelligentsia du monde entier, l'occasion de faire le tri entre les élus (admis à sa table) et les réprouvés (assignés à la cantine) et voici qu'arrive le pauvre G. S. qui a été, jusqu'ici, de la catégorie des cantineux mais qui, aujourd'hui n'est-ce pas... vu les circonstances... vu qu'il est un des rares Français à avoir osé faire le voyage alors que les ténors se sont défilés... « Où nous emmènes-tu ? » demande-t-il de l'air dégagé, et déjà familier, du fidèle qui ne doute pas d'avoir gagné, ce soir, fût-ce par défaut, ses galons de dîneur du premier cercle... Et Armando de le toiser alors... oh ! de le toiser... et sur le même ton que toujours, comme s'il n'avait pas les menottes aux poignets et ces satanés carabinieri aux fesses, comme s'il était toujours Armando-le-magnifique, prince sans couronne mais implacable, roi Lear de pacotille mais ferme sur l'étiquette, il foudroie le pauvre G. S. qui, suffoqué, n'ose protester et s'éloigne tristement : « de quoi tu me parles ? tu es dans la deuxième voiture et tu dînes à la cantine ! »

La loi, deuxièmement, du petit déjeuner des mariés selon Milan Kundera. C'est ce roman, je ne sais plus lequel, où Kundera raconte comment le premier qui, le premier matin, apporte le petit déjeuner au lit est sûr d'avoir à le refaire, chaque matin, jusqu'à la fin des temps communs. C'est ma loi de la première frappe. Mon théorème du clinamen, du faux pas, de la faute de carre originaires dont on ne se dépêtre plus et qui vous emportent jusqu'au bas de la pente ; alors une conversation, n'est-ce pas ? si la faute de carre décide d'une vie, que dire d'une simple conversation ? j'en ai raté, des rencontres, à cause d'un premier mot mal parti ! j'en ai gâché, des rendez-vous, à cause d'un geste d'humeur, un instant d'absence, une mauvaise table dans un restaurant, la moiteur d'un soir d'été, une ombre trop bleue sur son visage, un frémissement parasite sur le mien ! C'est le second axiome : les rapports de forces et de souveraineté ont beau être figés, j'ai beau être certain de le retrouver, quand nous serons face à face, tel que ces trente années ne nous auront changés ni lui, ni moi, ni, surtout, notre relation, j'ai beau savoir qu'il n'y aura plus ni amis ni ennemis, mais le jeune maître et le jeune disciple que nous étions et que nous redeviendrons, je sais aussi que tout se jouera *quand même* au premier échange ; que je lui refasse le coup de Benesti, que je me retrouve, comme jadis, à côté de la plaque à cause d'une entrée en matière idiote ou émue, et alors oui, on en reprendra pour trente ans de malentendu – sauf qu'on ne les a plus, les trente ans, ni lui, ni peut-être moi.

Je peux démarrer sur le Continental... Ça ne mange jamais de pain, le Continental... Hôtel mythique de Tanger... Si, si, mythique, je vous assure... Ne vous fiez pas aux pots d'échappement des semi-remorques ni aux cafards dans la salle de bains... C'est l'hôtel où descendaient Matisse, et Bowles quand il n'était pas à la villa de France – et moi quand Ida avait sa suite au Minzah et qu'il fallait un autre lieu pour qu'elle fasse la sainte pute.

Je peux lui faire le coup de la mer à Tanger – ma théorie, qui fait toujours sensation, selon laquelle Tanger, en dépit des apparences, n'est *pas* une ville sur la mer. « Quoi ? hurlent en général les crétins, il y en a deux, des mers ! pas une, deux ! ça ne vous suffit pas, deux mers qui se rejoignent – vous êtes à l'endroit du monde où Méditerranée et Atlantique mêlent leurs eaux, fusionnent en une seule mer et vous avez le culot de dire que Tanger n'est pas sur la mer ? » Et moi : « ça ne veut rien dire ; ce serait trop facile s'il suffisait d'être sur la mer pour y être ; on ne sent pas la mer ; on ne la touche pas ; quand on croit y atteindre, elle se dérobe ; quand elle ne se dérobe pas c'est qu'elle est sale, ou froide, ou qu'il y a trop de courants ; les maisons lui tournent le dos ; les gens n'aiment pas s'y baigner ; et le front de mer ! cette bande de béton hachélémisée qui n'a pas le minimum de gargotes sympathiques, avec poisson grillé et parasols de couleurs vives, qui, dans toutes les villes du monde, signalent la station balnéaire bien dans sa peau. Il n'y a pas la mer à Tanger. »

Je peux aussi partir sur Bowles, que je n'arrête pas de voir depuis que je suis ici – alors autant en profiter ! autant tirer sur mon fonds Bowles ! L'avez-vous seulement lu, vieux maître ? êtes-vous allé au-delà de ce *Thé au Sahara* dont on lui rebat les oreilles depuis cinquante ans et dont il disait, l'autre jour, qu'il lui suffit d'entendre prononcer le titre pour s'enfermer dans sa surdité ? Un livre comme un sort. Un livre comme un mauvais destin. La triste situation de ces écrivains – Vercors avec *Le Silence de la mer*, Cohen avec *Belle du Seigneur*, peut-être Nabokov et *Lolita* – qui donnent un grand livre et, hélas pour les suivants, n'en sortent pas. On le déteste, ce livre. On aimerait le maudire, médire de lui, l'oublier. Mais c'est votre livre. Il vous poursuit. On n'a même pas la ressource, comme un peintre sa toile, ou un sculpteur sa statue, de le brûler ou de le détruire. « C'est bon pour le posthume », lui ai-je fait remarquer pour dire quelque chose d'aimable... Et lui, ironique, pianotant de plus belle sur le pommeau de sa canne (on oublie toujours qu'il est musicien – et qu'il l'est *avant* d'être écrivain) : « et l'anthume ?

est-ce que c'est bon pour l'anthume ! j'ai quatre-vingt-six ans, et c'est encore l'anthume qui m'intéresse... » – il a dit « anthume » avec son merveilleux accent d'Américain de Tanger qui n'a pas pris le temps, en soixante ans, d'apprendre le français.

Ou bien, enfin, Gary. Je peux, et ce sera encore le plus habile, démarrer sur mon affaire Gary. Sûr que, pour le coup, il ne l'a pas lu. Mais justement. Effet de surprise. Théorie de l'apparemment-ringard-qui-a-poussé-jusqu'à-son-terme-le-rêve-moderne-de-la-déconstruction-du-sujet. Vous vous moquez de Gary, vieux maître ? Eh bien vous avez tort, car etc. Ouais. Ça peut l'accrocher. Ça peut même le déstabiliser. Sauf qu'il faudra aller au bout, alors. Il faudra lui dire les vraies raisons de mon intérêt. Il faudra lui avouer que si j'en sais si long, et si j'en parle avec tant de visible passion, c'est que j'ai eu, moi aussi, il y a trois mois, en arrivant à Tanger, ma tentation Ajar et que... Il regarde par ici, on dirait. Ce serait la pire situation : qu'il me voie en train de le voir, et essayant de ne pas être vu. Mais non. Fausse alerte. Il va piquer une cigarette à la grosse au chignon – est-ce qu'il serait en train de la draguer, par hasard ?

Donc, vieux maître, j'ai eu la tentation Ajar.

Ah oui ? Ajar ? Comme toutes les petites natures, chahutées par un échec, qui se disent : « c'est mon nom qui me gêne ; mon ombre de géant m'empêche de marcher ; sous une autre identité, ça passera mieux » ?

Ne vous moquez pas, vieux maître. Je vous en prie, ne vous moquez pas. J'avais un « sujet », après le bide bang. J'avais envie d'écrire un livre sur la grande folie médiatique contemporaine. Il y avait un moi qui, en moi, rêvait, si vous préférez, de dire enfin le dégoût que m'inspirent les mascarades auxquelles je me prête depuis vingt ans. Or ce n'était pas possible. C'est toute l'assemblée des moi qui, face au moi putschiste, grondait : « impossible ! interdit ! tu es le dernier à avoir le droit d'écrire un pareil livre. » C'est toute la « société » qui, à travers mon assemblée, menaçait : « BHL cherchant querelle au spectacle et à ses impostures ? vous vous foutez du monde ? vous imaginez qu'on puisse croire, un seul instant, à la sincérité de l'opération ? » J'avais le droit d'écrire, en réalité, sur à peu près ce que je voulais : la mort, le Front national, la culture des navets, les Black Panthers et Jean Seberg, votre lecture d'Artaud, la tentation fasciste de Maurice Blanchot, le cinéma muet, la beat generation à Tanger, la nouvelle Russie ; mais ce thème-là, cette peinture d'une société médiatico-littéraire que je connais de l'intérieur et, peut-être, moins mal que d'autres – c'était la seule chose qui me fût implicitement défendue.

Comprenant ça, j'ai fait choix d'un personnage : Guy Debord, une heure avant son suicide.

J'ai pris le parti d'un genre : pas le coup du « testament », retrouvé au fond d'une malle ; pas l'auteur officiellement masqué, style « Caton » ou « Télémaque », le jeu consistant à deviner la personnalité « parisienne » cachée derrière le masque ; non : un vrai auteur, chair et os, supposé vrai disciple de Guy Debord et écrivant, à visage découvert, un roman sur son héros.

J'ai cherché l'auteur en question.

Je me suis posé les questions qu'on se pose, je suppose, en pareil cas : Gilles serat-il assez discret ? Jean-Michel, assez loyal ? Paul ou Albert, assez crédibles ? Silvio, idéal, n'est-il pas trop loin de moi, ne serait-ce que par la langue – de là à ce que nous nous jouions l'histoire de l'inconnu du Nord-Express ? J'ai pensé à une femme (Lilian). Un Suédois (Gabi). Un adversaire officiel, par définition insoupçonnable (Michel). J'ai, pour finir, désigné Dimitri. Vous ne connaissez pas Dimitri ? Non. C'est normal. Mais c'était le candidat idéal. Discret. Nerfs d'acier. Pas de connexion trop visible avec moi. Look moderne. Lunettes mauves. Maigreur d'anachorète. Répugnance à parler en public mais sans en faire non plus des tonnes. Fou de cinéma. Inrock en diable. Belge de surcroît, ce qui ne gâtait rien – n'y a-t-il pas toujours eu, dans l'histoire de toutes les avant-gardes, une dernière filière d'irréductibles qui, je ne sais trop pourquoi, est généralement belge ? Et surtout, je me suis réellement mis dans la tête de mon héros – et j'ai commencé d'écrire le livre.

La souffrance, d'abord. La mort en lui, logée. La tête qui explose. Le cerveau qui se ratatine comme un pruneau. Le vent de l'aile de l'imbécillité, certains soirs, quand il a trop bu. Il n'en est pas encore là, sans doute. Mais demain ? Après-demain ? Situation de Baudelaire à Bruxelles. Hypothèse, plus tout à fait invraisemblable – et que j'ai essayé de rendre vraisemblable – où il perdrait un peu de sa tête. Accepter une invitation d'Arte, par exemple... Ou publier l'opuscule de trop... Ou, pire, perdre la trace d'un texte, ou d'un carnet – mis en lieu sûr, mais où ? C'était la hantise de Lebovici, il se souvient. Pas les manuscrits, les numéros de compte. Il vivait dans la hantise de partir, ou de perdre l'esprit, sans avoir mis en ordre l'imbroglio de ses numéros de compte. Il pense à Lebovici. Il pense aux amis disparus. Morts ou morts vivants, peu importe – disparus. C'est si rare de n'avoir plus personne à qui parler. C'est si étrange cette position de l'écrivain sans amis.

L'échec. Le triomphe du monde d'en face. Des portraits de contemporains – y compris, bien entendu, le mien – dont la victoire signifie sa faillite. Le signe de cette victoire ? Quand il les voit se pavaner – et je me mettais moi-même en scène, avec d'autres, me pavanant. Mais aussi, bien plus grave, quand c'est à eux que l'époque laisse le soin d'écrire l'Histoire – quand ils peuvent pousser l'arrogance jusqu'à écrire à sa place (ô ! Thucydide et Tacite, « ses » auteurs !) ses propres « res gestae ». Histoire du situationnisme par-ci... Bréviaire de résistance au spectacle par là... Son nom comme un emblème ou un drapeau... Lui, Debord, premier d'un nom, fondateur d'une dynastie de nains – et déjà des prétendants aux prises avec sa dépouille... Avoir fait ce qu'il a fait, dit ce qu'il a dit, avoir résisté à la tentation d'écrire tout ce qu'il aurait pu écrire mais qu'il a, dandysme oblige, conservé par-devers lui, pour se retrouver là, à la fin du XXe siècle, dans la peau d'un chef d'école, pourquoi pas d'un chef de secte tant qu'ils y sont ? – quelle dérision !

Le mot même de « spectacle ». Pas un jour où il ne lise qu'on le transforme en pourfendeur d'un spectacle entendu au sens d'« images » ou de « médias ». Protester ? Rectifier ? Plaider qu'il n'est pas « iconoclaste », qu'il n'a rien contre les « images » en tant que telles – expliquer : « je ne suis pas platonicien, mais hégélien, vous entendez ? hé-gé-li-en » ? A quoi bon... L'époque est si bête... La paresse de l'esprit si générale... Jamais, lui faisais-je dire, on n'aura haï l'intelligence, la pensée, comme aujourd'hui. Jamais, surtout, on ne s'y sera employé avec autant d'énergie que ces régimes démocratiques soi-disant amis des lettres et des arts. Les totalitaires ? Oh ! C'était autre chose, les totalitaires. Ils rivalisaient avec les écrivains. Ils ne savaient trop quel serait, à la fin, le meilleur passeport pour la postérité – alors, dans le doute, ou de rage, ils les tuaient et les persécutaient. Tandis que les démocrates... Il sera revenu aux démocrates d'inventer cette haine sourde, insidieuse, sans respect. Il y a des jours où il n'est pas loin, comme Graham Greene ou ses héros, d'envisager de finir sa vie sous les cieux d'une de ces « dictatures » où l'on considère, à tout le moins, les écrivains.

Car le problème avec la bêtise c'est qu'elle est, évidemment, contagieuse. On essaie d'être vigilant. On multiplie les contrôles, les vérifications d'identité, les check-up. Il connaît des gens autour de lui – c'est toujours Debord qui parle – qui font le test du sida. Il aura passé sa vie, lui, à faire, régulièrement, le test de la bêtise. Les tests, pour l'instant, sont bons. Mais quid, là encore, de demain ? Qui peut jurer d'être, ad vitam æternam, immunisé ? Comment s'assurer d'être, à jamais, non sérobêtisif ? Il a rêvé d'idées virulentes, ou foudroyantes, capables, à leur seul contact, de dissoudre l'imbécillité du monde. Le voilà envahi par les poncifs, cerné par un mauvais levain – voilà une marée noire de germes et de vibrions qui est en train de le submerger et dont on lui attribue, de surcroît, la paternité. On ne peut pas passer sa vie à ça. On ne peut pas se protéger, du soir au matin, contre le flot de la vulgarité du monde. Et quant à s'enfermer dans le silence sous prétexte que la langue est devenue leur auge et qu'un mot, un seul, de vous donnerait des ailes aux cochons – arrive le moment où on n'en peut plus : il en est là, il n'en peut plus.

Il pense à ce temps de faux tumultes auxquels il a été mêlé. Ces insurgés de pacotille. Ces gens qui se voulaient rebelles alors qu'ils étaient faits pour se soumettre. Lui-même a-t-il réellement voulu la guerre ? Savait-il ce qu'il disait quand il répétait, après Bataille, qu'il rêvait d'« émeutes sans limites » ? Il a lu, l'autre jour, qu'un révolutionnaire est quelqu'un qui, ne se consolant pas de n'avoir pas vu naître le monde, rêve de le voir finir. C'était peut-être cela. Ce n'était peut-être que cela. On le plaint. On dit : « pauvre Debord ! » Et on le voit comme une victime, un suicidé de la société. Mais non ! Il n'est pas victime, mais coupable. Car comment, quand on était Debord, a-t-on pu consentir à ce que s'installe ce nouvel ordre intellectuel ? Doublement coupable. Infiniment responsable. Qu'on lui laisse ce privilège. Cette dernière cigarette de condamné. S'il ne doit y avoir qu'un coupable en ce monde – eh bien que ce soit lui !

Car il n'y a plus de coupables, nulle part, jamais – voilà leur loi et voilà ce qui, ce jour-là, à l'heure de son suicide, lui semble, selon moi, le plus insoutenable. Jadis, au temps des philosophies de l'Absurde et du Tragique, la tendance était à la culpabilité sans crime. Aujourd'hui, c'est l'inverse, c'est bien pire : ce sont des crimes sans coupables, des forfaits sans auteurs – ce sont des méfaits en déshérence, sans propriétaires légitimes ni prétendus, qui flottent dans l'éther de la scélératesse comme les enfants mort-nés dans les limbes de l'enfer chez les Grecs. C'est la vraie victoire des humanitaires associés. Ce sont eux les vrais ennemis – et c'est la vraie preuve qu'ils ont gagné. Sa parade, à lui, Debord ? Les maudire une dernière fois. Appeler, sur leur tête, les foudres de la

Marchandise. Rêver d'une pluie d'ondes, d'un déluge d'images pieuses, qui s'abattraient sur le monde et les enseveliraient. Et un bond hors du rang, non des meurtriers, mais des sauveurs du genre humain.

Il pense, encore, aux amis morts. Il pense aux femmes qu'il a aimées : la procession de ses femmes nues, mais dans leur gloire, jalouses les unes des autres, comme dans un harem cérébral. Il les a tant aimées ! Elles se sont tant haïes ! Peut-être est-ce une illusion. Mais il a le sentiment qu'il y a eu, là, une qualité d'amour, et aussi une qualité de haine, que l'époque, encore, a perdues. C'est comme une panne du désir, il se dit. Un devenir amorphe de l'espèce. J'ai rêvé de visages rieurs. De colères soudaines et extrêmes. J'ai voulu un monde où chaque homme pourrait nourrir l'espoir d'être un jour, ne fût-ce qu'une fraction d'instant, un ange ou un loup pour l'autre homme. Au lieu de quoi cette imbécillité partagée, cette ténèbre où ils entrent tous. Il faut sortir. Il faut partir.

Il pense encore au suicide. L'idée même du suicide. C'est bizarre, les suicides d'écrivains. Se suicident-ils pour se taire ou pour parler ? pour s'éloigner ou pour rester ? est-ce une manière de s'absenter, de disparaître pour toujours ou un dernier geste pour, au contraire, ne plus jamais être oublié ? Suicide de Drieu. Suicide de

Pavese. Ces glas qui sont des coups de gong. Cette note qui se dit ultime mais qui retentira jusqu'à la fin des temps humains. Debord ne veut pas de cela. Il veut un suicide moins sonore. Il le veut, surtout, moins romantique. Car il les voit venir, ces salopards. Il les entend, déjà, s'affairer autour de son cadavre, le récupérer. « Le Spectacle sauvé par le spectaculaire même... Un monde où restent possibles de beaux suicides d'écrivains n'est pas un monde complètement mort... Merci à Debord qui offre sa dernière révolte, sa pureté, à une société que l'on croyait perdue... » Ah ! les canailles ! Les chacals ! Rien qu'à cette pensée, il sent sa révolte, en effet, qui lui remonte à la gorge. Rien qu'à l'idée que son geste puisse se retrouver un jour dans le livre d'un adversaire, il y renoncerait presque. N'y a-t-il pas d'autres manières, après tout, de sortir du jeu ? Lebovici ne disait-il pas qu'il suffit parfois, pour se suicider, de changer de ville, de quartier ? Hélas ! Il a *déjà* changé de quartier. Il a *déjà* éprouvé les techniques ordinaires de disparition. Quand on en est là, quand on s'est déjà rendu imperceptible, c'est comme si on s'était condamné à une surenchère tragique – difficile de faire un pas de plus sans prendre, pour de bon, congé.

J'ai écrit tout cela, vieux maître.

J'en ai conservé, non seulement les manuscrits, mais les brouillons.

N'ayant jamais compris comment le fait, pour Gary, d'avoir recopié « de sa main » les manuscrits d'Ajar prouvait quoi que ce soit, j'ai même trouvé un technicien, à la Tangéroise d'Informatique, qui m'a trafiqué un ordinateur capable de garder en mémoire, pour chaque phrase, un nombre respectable de manœuvres, retouches et, donc, versions.

J'ai, à travers Dimitri, pris contact avec un éditeur qui, pour des raisons de prudence, ne pouvait plus être Grasset mais Orban.

J'ai, à travers Bonnello, pris toutes les garanties contractuelles possibles contre l'éventualité d'un Dimitri, pavlowitchisé, à qui viendrait la fantaisie de se mettre à son compte et de me trahir.

Avec eux deux, le Golem et l'avocat, j'ai réglé le problème de la boîte postale. Décidé d'une adresse pour le nouvel auteur. On s'est mis d'accord sur un code, plus une série de lieux de rendez-vous, qui devaient permettre, le moment venu, de communiquer. J'ai vu Astolfi, mon conseiller fiscal. Envisageant le cas – improbable mais il fallait tout prévoir ! – où Dimitri se « brûlerait », j'ai disposé, dans le texte même, une série de leurres ou de pièges dont la fonction serait de détourner les soupçons sur d'autres : du vrai Debord, du faux Vaneigem, une phrase de Ulrike Meinhoff, une bribe, par-ci par-là, de Dollé, Baudrillard, Doubrovsky, Debray ou Des Forêts. Et pensant enfin que le plus sûr, pour achever de brouiller les pistes, serait de publier en même temps, mais chez mon éditeur habituel et sous mon nom, un autre livre – et considérant que le plus piquant serait que ce second livre fût un hommage à Romain Gary – j'ai fait courir le bruit que je travaillais sur Romain Gary.

J'ai imaginé les deux livres côte à côte, leur sortie simultanée, leurs carrières parallèles.

J'ai pensé au bel article outragé que je ne manquerais pas de donner à la page « Horizons » du *Monde* pour dénoncer le caractère crypto-totalitaire de ce pseudo-Debord qui, de surcroît, me traînait dans la boue.

Je me suis demandé quelle émission de télévision m'inviterait à me défendre contre les attaques abjectes de ce situationniste attardé et j'en étais déjà à rêver de la carte de Sollers postée, comme il se doit, de Venise : « cher B.-H... ligne de démarcation franchie... une phrase, dans ton " Pivot ", que je ne peux laisser passer... l'exception Debord, n'est-ce pas ? Debord, la pierre de touche... »

Bref, tout était prévu. La logistique était en place. Pourquoi je ne suis pas allé au bout, dans ce cas ? qu'est-ce qui m'a retenu de jouir de ce quart d'heure hétéronymique ? Le ridicule, en effet, du type qui vient dire : « mon nom m'embarrasse ; je suis trop célèbre pour être lu. » Le précédent, justement, de Gary : le rôle déjà pris ; la case déjà occupée ; la même réticence, au fond, qu'en Bosnie – l'image de Malraux, son exemple, qui nous interdisaient de former de nouvelles « Brigades ». Le parfum malsain, peut-être aussi, qui flotte autour de ce genre d'affaires : leur part morbide ; le fait qu'elles se soldent toujours, au moins dans le symbolique, par une mort ; je n'en étais pas là ; je n'en suis pas là. Et puis une quatrième raison enfin. Je n'y ai pas pensé sur le moment. Mais elle me vient là, maintenant que j'y repense et puisque vous me posez la question. C'est ma dernière raison. Mais j'ai l'impression que c'est la bonne.

Il a carrément l'air de s'impatienter, cette fois. Un regard à sa montre. Un mot à la petite boulotte, qui doit sentir le savon d'hôtel : « auriez-vous l'heure, s'il vous plaît ? » Ou : « vous n'auriez pas vu, par hasard, un Français qui... ? » Mais non, vieux maître, elle n'a vu personne. Elle est juste en train de vous prendre pour un pharmacien en goguette qui ne sait pas comment finir sa soirée. On la finira ensemble, la soirée. Rien de changé, on la finira ensemble. Laissez-moi seulement souffler un peu. Ça fait trente ans qu'on attend : on ne va pas se fâcher pour dix minutes. Et puis, je suis en train de comprendre la vraie raison qui m'a retenu sur la pente Ajar et j'aimerais pouvoir y penser une seconde, tranquillement, avant de monter vous retrouver.

Le fond de l'affaire, vieux maître, c'est que quand un écrivain est en danger – ou, même sans être « en danger », au tournant de son existence – il a, non pas une, mais deux issues.

Cette tentation Ajar, donc – qui fait toujours rêver.

Mais aussi une autre tentation, exactement inverse, où le jeu devrait être, non de prendre un masque, mais de le retirer ; non d'ajouter un nouveau moi, masqué, à la collection des autres moi, mais de déposer les masques, de décréter une sorte de bas-les-masques généralisé ; non plus : « j'en ai marre de n'être que moi, j'étouffe dans ce nom qui est celui de ce moi, je prends donc un nouveau nom pour, à son abri, devenir un autre », mais : « c'est d'être un autre qui me rend fou ; c'est de fabriquer des autres, et en particulier des personnages, que je suis en train de crever ; et si la solution était d'écarter ces personnages, de mettre entre parenthèses ces fables et ces fictions et de tenter, le temps d'un livre, de me traiter, moi, pour une fois, en personnage et en fiction ? »

Rien à voir, bien entendu, avec le naïf projet d'« être soi ».

Rien à voir avec le rêve de sincérité, simplicité, transparence, dont vous savez ce que je pense.

Et pas question, faut-il le préciser ? de retirer un mot à tout ce que je disais, il y a une heure, de la misère de ces romans « vécus », bêtement copiés de la vie, qui se satisfont d'éponger nos menus émois quotidiens.

Primo, il ne pourra plus s'agir d'un roman. Secundo, il s'agira d'un livre, d'un seul livre, qui sera une sorte d'exception dans l'œuvre, d'arrêt sur image et sur destin. Et le propre de ce livre, son véritable intérêt sera de prendre ce moi tel quel, avec ses opacités et ses mensonges, son sac à malices et son paquet de complexités, ses contradictions, ses lacunes, son impossible transparence, ses fractures – il sera de tirer toutes les leçons du nouveau *Contre Sainte-Beuve*, de prendre acte, par conséquent, de cette insoluble mêlée qu'est la subjectivité d'un écrivain et, pour la première fois, de dire : « voilà, on fait une pause, on met l'impossible puzzle sur la table – le moment est venu, non de nier, mais de prendre à bras-le-corps ce formidable chaos intérieur. »

Il y a des écrivains (Balzac... Hugo...) qui n'éprouvent apparemment pas le besoin de cette pause ; encore que... sait-on jamais ? sait-on ce que Hugo, par exemple, a dans la tête quand il écrit sans l'écrire, et en en confiant la rédaction à Adèle, « l'histoire de sa vie » ?

Il y en a qui l'éprouvent, mais se dérobent ou, en tout cas, ne vont pas au terme : les fusées ne partent pas, le cœur mis à nu reste entrouvert (Baudelaire).

Il y en a qui y sont hostiles, officiellement et résolument hostiles, mais finissent, malgré eux, par y venir (Pascal).

Il y a les malins qui, comme Cocteau, font semblant.

Il y a le roi du semblant, Aragon, avec ce célèbre livre qu'il a le culot d'appeler *J'abats mon jeu* et que personne n'a dû vraiment lire – sinon on saurait, premièrement, qu'il n'y « abat » rien et, deuxièmement, qu'il faut lire « j'abats » (au sens de « je flingue ») mon « je » (au sens de « moi, Aragon ») : le risque pris quand on abat ses cartes ? celui que l'on court quand on prétend les abattre mais qu'on les garde dans sa manche ?

Il y a ceux qui, comme Sartre, vont au bout, en font un livre mais semblent en éprouver, aussitôt, une sorte de remords, de honte. Ah ! le fabuleux acte manqué de la dernière phrase des *Mots* : « tout un homme, fait de tous les hommes et qui les vaut tous et que vaut n'importe qui. » Elle est belle, d'accord, cette phrase. Mais vous ne la trouvez pas incroyable, en même temps ? Vous ne sentez pas la gêne du « grand intellectuel » qui se retrouve avec ce livre bizarre sur les bras ? « Que va penser le milieu ? Ne va-t-il pas trouver l'exercice indécent ? narcissique ? inutile ? » Alors, il fait le brave garçon. Il montre patte blanche aux bien-pensants. Je reste le bon Sartre, ami de l'universel et humaniste ! J'offre mon enfance à la science. Je fais don de ma personne à l'espèce humaine. Je ne me serais jamais penché sur le modeste cas de Poulou s'il ne m'avait paru représentatif de celui de tous les Poulou du monde.

Il y a les grandes réussites du genre. Sartre donc, malgré tout. Leiris, avec *L'Age d'homme*. Stendhal, bien sûr. Le Rousseau des *Confessions*. Le Drieu de *Récit secret*. Faut-il, pour écrire pareils livres, être à l'apogée ou dans la détresse ? au zénith ou dans la nasse ? Ceux-là sont au milieu du pont. Ils le sont par l'âge, d'abord : tous, sauf Leiris, ont cinquante ans quand ils s'attellent à la rédaction de cet autoportrait complexe et fracturé. Mais ils le sont aussi par l'esprit : cet état de vertige léger, de suspens, qu'on appelle la « maturité » et où le besoin d'aller y voir, d'aller porter la torche dans le double mystère de l'œuvre et de son auteur, devient irrésistible. « Tant pis pour la risée, disent-ils ! Au diable le reproche d'impudeur ou de narcissisme ! Assez de miroirs le long du chemin ! C'est moi qui, cette fois, suis face au miroir. »

Il y a là un rendez-vous, en un mot. Un rendez-vous douloureux. Un rendez-vous périlleux dont l'enjeu n'est rien de moins que le statut du sujet qui écrit, peut-être sa survie, la vraie corne de taureau, celle qu'on se passe à travers le corps avec risque d'y laisser sa peau, ou son œuvre, ou le désir de poursuivre, ou le retour à la fiction, que sais-je ? on en a vu des écrivains – à commencer par Leiris lui-même – qui n'en sont, à la lettre, pas revenus ! Alors, on ruse. On élude. On tourne autour de l'île dangereuse. On croise au large. On multiplie, en vérité, toutes les stratégies d'esquive ou d'évitement. Mais c'est un rendez-vous quand même. C'est peut-être même le grand rendez-vous de la vie. Vous vous souvenez, vieux maître, de ce « livre intérieur » aux « signes inconnus », ou « en relief », dont Proust dit, à la fin du *Temps retrouvé*, qu'il a passé sa vie à le « chercher », s'y « heurter » et le « contourner » comme un « plongeur qui sonde » ? Ce livre, s'exclame-t-il, « combien se détournent de l'écrire » ! Que de tâches « n'assume-t-on pas pour éviter celle-là » ! Et encore : « chaque événement, que ce fût l'affaire Dreyfus, que ce fût la guerre », avait fourni son lot d'« excuses » pour « ne pas déchiffrer ce livre-là » ! Eh bien voilà. C'est cela. Je suis sûr qu'on pourrait réécrire l'histoire de la littérature en fonction des diverses façons qu'on a de se dérober à ce travail de sonde, de le conjurer ou, à la fin, une fois dans la vie, d'y céder. Je suis convaincu, oui, qu'arrive toujours le moment – une voix qui se tait, la peine, le deuil, l'hostilité croissante du temps, le deuil toujours, la louange qui sonne faux, le sourire complice des canailles, le doute, simplement le doute, la corne, non du taureau, mais des imbéciles à front de bœuf qui vous jette à terre et, à terre, vous fait douter : « et s'ils avaient raison ? si le film était vraiment nul ? le livre, raté ? et si j'étais, en effet, ce résidu ? ce déchet d'un autre temps ? ce Compagnon de la Libération dont le ticket littéraire n'est plus valable ? ce rescapé des années soixante, soixante-dix, quatre-vingt ? et si... et si... » arrive le moment où un écrivain, harcelé, talonné, épuisé, se laisse gagner par ce désir, d'abord vague, puis de plus en plus pressant, d'aller y voir dans la volière et de mettre en chantier (formule générique !) son *Age d'homme*.

J'insiste, vieux maître.

Ces livres, quand ils sont réussis, sont des livres malins, complexes, éminemment pervers et rusés. Ce sont des livres qui ont pris acte de cette « ligne de fiction » où Lacan disait – souvenez-vous ! – que le moi « dès l'origine est pris ». Ce sont des livres où on pourrait chaque fois inscrire, en exergue, l'autre avertissement, celui de Barthes : « tout ceci doit être considéré comme dit par un personnage de roman. » Gagnons du temps. Ce ne sont pas des « confessions ». Ce ne sont pas des livres d'effusions, de douces et pieuses confidences. Ce sont des textes qui, de l'aventure de l'auteur, de son œuvre, des raisons qui l'ont fait devenir ce qu'il est, de ses démêlés avec ses contemporains ou avec lui-même, font la matière d'une élaboration littéraire, douloureuse certes, risquée, mais rouée : un savant mélange d'histoire et de fiction, d'aveux et de mensonges, de secrets partagés et d'habiletés, de plongées dans l'intime et de ruses nouvelles – tout le contraire, vraiment, de l'innocente autobio du type qui aurait passé sa vie à mentir et qui, sentant venir la fin, déciderait de se mettre à table et de tout dire.

A qui ai-je l'honneur, demandait Sainte-Beuve, à la parution des *Mémoires d'outre-tombe*. Un « acteur » au rancart, qui nous livrerait « le secret de sa comédie » ? Un cabot « encore en scène » en train de jouer son va-tout ? Un malin qui, lorsque ça l'arrange, « reprend le masque, se le rajuste sur le visage et, tout en le reprenant, s'en moque et veut faire comme s'il ne le mettait pas » ? Tout cela à la fois, Oncle Bévue. Tout cela ! Vous ne vouliez pas, n'est-ce pas, que Mao parlât comme Bettencourt ? Eh bien vous ne pouvez pas non plus espérer que Chateaubriand s'exprime comme un académicien en train de rendre les armes à la veille de la bataille décisive, qui est celle de la vie posthume des œuvres !

Car on écrit ce genre de livres, au fond, pour deux raisons – et deux seulement.

Pour répondre à la canaille, rendre coup pour coup, riposter : c'est la raison de Rousseau.

Pour ramasser ses forces, réformer son armée intérieure, la redéployer en vue des engagements futurs : c'est la position de Kafka dans la *Lettre au père*. Il ne dit pas « l'armée intérieure », d'accord. Il dit : « la maison » (reconstruire, à côté de la vieille maison « branlante », et « en se servant des anciens matériaux », une maison « plus solide »). Mais c'est pareil. C'est la même idée de rassembler les forces vives. Le même projet de se doter d'une base arrière solide. Le même souci, comme chez Chateaubriand, comme chez Sartre, comme chez tous, de mettre la volière au pas, de discipliner le chaos intérieur et de disposer, à nouveau, d'un moi en ordre de marche.

Un sacrifice, alors, par-ci. Une petite purge par-là. Une exécution sommaire dans les caves, comme j'en caressais le rêve, tout à l'heure, à propos de mon pauvre « BHL ». Mais à la guerre comme à la guerre ! Il faut bien céder du terrain sur un flanc pour en regagner sur un autre. Il faut bien envoyer Poulou au casse-pipe pour blinder les positions de l'intellectuel engagé. On n'écrit pas ce genre de livres pour faire la paix mais pour continuer la lutte. On ne les écrit pas pour rendre les armes, mais pour les reprendre et s'en servir. Ce sont des livres de guerre. On fait la guerre, tant qu'on peut, avec ses fictions – et, après, avec ses aveux.

Bon. Vous avez compris, n'est-ce pas ? C'est tout ça que j'ai en tête, bien sûr, depuis une heure que nous causons. C'est autour de ça que je rôde et à ça que, sans doute, je résiste depuis bien plus longtemps encore. Et c'est parce que j'avais ce rêve en tête, parce qu'entre la tentation des *Mots* et celle de *Pseudo*, entre ces deux façons rivales d'être et de ne pas être, j'ai, à, ma façon, choisi les mots, que je ne suis pas allé au bout de ma tentation Ajar.

C'est lui, maintenant, qui vient vers moi.

Je ne l'ai pas vu descendre, ni faire mouvement ; mais voilà, ça devait arriver : il a fini par se lasser, ou par trouver que la femme au peigne devenait trop insistante, ou par m'apercevoir de là-haut, perdu dans mes élucubrations – et c'est lui qui, finalement, fait le premier pas et vient vers moi.

C'est drôle de le voir si près.

C'est comme si trente années d'histoire – la sienne, la mienne – s'écrasaient sur ce visage, cette silhouette en mouvement.

Il se compose – et moi aussi – un air de circonstance : sourire abrupt ; œil curieux ou déjà déçu ; tiens, vous étiez là ? vous avez moins changé, ou plus, que je ne l'imaginais ! venez, allons marcher.

Sauf que...

Est-ce la vue des gamins courant sur le toit, derrière moi, qui, à la dernière seconde, l'a distrait ? est-ce le bruit de cymbales et de tambourin qui sort de la fenêtre à l'étage ? est-ce sa propre ombre portée, trop courte, sur le mur ? moi qui suis dans l'angle mort, la zone aveugle du réverbère ? pense-t-il à autre chose ? a-t-il, juste, la tête ailleurs ? l'extraordinaire est qu'il est là... il me touche, me heurte presque... je distingue le moindre détail de l'écossais de son veston... l'éclat humide de son regard qui semble, j'en jurerais, posé sur moi... mais non, il me dépasse... il est en train de passer sans me voir.

Comme c'est étrange.

On rêve de métamorphoses, de mues phénoménales, de pseudonymes ; on ne sait quoi inventer – quelle mystification littéraire... quelle machinerie... – pour devenir un autre ; et voilà, c'est tout bête : une barbe de cinq jours suffit, une chemise, une mauvaise lumière...

On bâtit mille scénarios, on pense qu'on a tout prévu, les premiers mots, les premiers gestes – et voilà un cas de figure, le seul qu'on n'avait pas envisagé : nez à nez, mais il ne me reconnaît pas, il file dans la nuit sans s'arrêter, il m'oblige à lui courir après, le rattraper, le héler : « vieux maître ! c'était moi... cette silhouette contre le mur, c'était moi... vous vous êtes dit “ ce salaud m'a fait faux bond ” ? mais non, bien sûr... j'étais là... vous ne m'avez pas vu, mais j'étais là... »

Il ne semble pas mécontent, cela dit.

Vu comme ça, de dos, en train de s'enfoncer, à petits pas, dans la médina, il a même l'air à son affaire. Peut-être s'en fiche-t-il, dans le fond. Peut être n'a-t-il jamais trop cru à ce rendez-vous dont je me suis fait, moi, un monde. Peut-être s'est-il dit, dès le premier jour : « c'est une blague... ce coup de téléphone, de bon matin, c'était forcément une blague... » Ou peut-être – autre hypothèse encore – a-t-il fait exprès de ne pas me voir parce qu'il a trouvé, à la dernière minute, que toute cette histoire n'avait pas de sens. Et peut-être n'a-t-elle pas de sens, en effet... Peut-être la situation même est-elle absurde... Ce rendez-vous, cette longue attente et, maintenant, ce petit homme qui se perd dans un dédale si obscur, si impénétrable, que Burroughs le comparait aux sinuosités d'un cerveau d'écrivain dopé à toutes les drogues de l'époque : où est-il ? où va-t-il ? n'est-il pas déjà passé devant cet étal de babouches ? et devant ce marchand de parfums ? et moi qui trotte derrière lui ! et moi qui hésite et trébuche avec lui ! et moi qui, lorsqu'il revient sur ses pas ou qu'il s'engage, comme maintenant, dans une de ces percées aveugles qui sont le piège du quartier, plonge dans l'obscurité d'un porche avant de le suivre à nouveau, mon ombre dans son ombre, mes pas dans ses pas, Achab après sa baleine – mais après quoi, au juste ? que fais-je à me traîner derrière ce type qui a été mon maître mais qui, avec sa veste trop longue, ses petits pas prudents, sa façon de humer le vent comme s'il allait y trouver l'inspiration, est en train de chercher le Socco, ou une fille, ou les deux : il connaît la mauvaise littérature sur Tanger, il a lu que c'est sur le Socco qu'il trouvera les plus jolies filles, alors il cherche le Socco avec des mines de chasseur aux aguets ?

Ma jeunesse, voilà après quoi je cours. Ma très banale peur de vieillir, voilà ce dont il s'agit. Et aussi mon refus, dans la vie réelle, de ces nombreuses vies dont je ne cesse, en théorie, d'affirmer que, à chacun, elles seraient dues et échues. Et encore mon illusion, plus navrante, plus infantile, que trente ans peuvent passer dans une vie mais que rien n'est joué pour autant, tout peut se rejouer : « trente ans ? qu'est-ce que trente ans ? un battement de cils... l'essai d'une existence... on va corriger l'essai... recommencer l'ébauche... ce sera comme le nuage de craie quand on efface, au tableau noir, l'esquisse ratée, le calcul mal fait... et, pour peu que j'accepte de me réformer, pour peu que j'aie réellement le désir d'abjurer celui que je suis devenu, alors quelle merveille ! on prend le même et on recommence !... » Ma part d'enfance, en un mot. Ma longue immaturité. Ma croyance superstitieuse en un temps qui passerait pour tout le monde, sauf pour moi. Et, à presque cinquante ans, l'idée que la vie est un noviciat perpétuel, une adolescence intarissable.

Et s'il fallait faire l'inverse, du coup ?

Et si l'âge d'homme, le vrai, commençait avec le parti de prendre le temps – et de me prendre, moi, tel que le temps m'a fait : ma part d'ombre et de lumière, ce dont j'ai le plus honte et ce dont je suis fier, mes livres, mes films, mes échecs et mes déceptions, les ennemis que j'ai voulus et ceux qui me sont tombés dessus, mes conspirations réussies et celles qui se sont retournées, mes femmes, mes morts, mes dettes impayables, mes trous de mémoire et mes excès de mémoires, toutes ces batailles fiévreuses et ces débats indéchiffrables – la vie, quoi ! sa misère et son tumulte ! cette effervescence qui fait une vie et dont il faudra bien que j'admette, à la fin, qu'on ne me l'échangera plus, jamais, contre aucune autre ?

Et si la dernière chose à faire était d'aller, donc, au rendez-vous d'un homme dont la névrose est, par principe, la symétrique de la mienne, son exact quinconce ? et si l'erreur à ne pas commettre, le geste régressif par excellence, était celui qui me porte vers ce maître qui, comme tous les maîtres de profession, se vit comme l'éternel abbé faisant face au perpétuel novice et n'ayant rien à lui dire qui, pour cette raison même, ne conforte son mirage ?

Et quant à ce que j'avais à lui dire...

Oh ! ce que j'avais à lui dire... Ne lui en ai-je pas dit, en une heure, plus qu'en trente ans ? N'en ai-je pas plus dit, à distance, et en pensée, que je ne lui en dirai quand, l'ayant rattrapé, je l'amènerai, comme prévu, au café Tingis, puis chez Guittas ? A cette ombre, à ce double de lui que je me suis forgé et auquel je parle, depuis que je suis en route, n'ai-je pas fait plus de confidences que je n'en ferai jamais au plus fraternel, inspiré, des intercesseurs ?

En rester là, dans ce cas.

Aller chacun son chemin.

Lui à son colloque et, pour l'heure, au Marco Polo : il a l'air plus résolu tout à coup, bizarrement moins perdu, il semble avoir trouvé son chemin – là où il va, pas besoin de chaperon ! Et moi, là-haut, sur la lande, dans ma petite maison studieuse – ou même à Paris ; oui, bien sûr, à Paris ; car il faudra bien que j'y retourne un jour ; le moment viendra bien où, ma journée faite, je devrai quitter Tanger et rentrer en Europe... Pas de pathos. Pas de drame. L'aventure continue. Donc la guerre. Et, aussi, la comédie.

Je le vois qui s'engage dans la rue de la Joie : silhouette miraculeusement allongée – peut-être parce qu'il a retiré sa veste.

Je vois la tache blanche de sa chemise, et celle de ses cheveux – l'une et l'autre s'éloignant, foulée plus souple, au rythme de la petite cohue qui, aux abords du Socco, se fait plus nombreuse.

Je le vois qui s'arrête, se retourne une dernière fois : geste pâle, comme un signe – mais à qui ? je suis trop loin, je ne suis pas sûr d'avoir bien vu ; et j'écoute encore, après qu'il a disparu, l'écho de son pas dans la rue des Chrétiens.

Je ne le vois plus.

Je ne l'entends plus.

Je suis seul.

Devant moi, une vie sans rendez-vous.

TABLE

Achevé d'imprimer le 26 septembre 1997
sur presse Cameron
par ***Bussière Camedan Imprimeries***
à Saint-Amand-Montrond (Cher)
pour le compte des éditions Grasset
61, rue des Saints-Pères, 75006 Paris

N° d'Édition : 10493. N° d'Impression : 4/928.
Dépôt légal : septembre 1997.
Imprimé en France
ISBN 2-246-55511-6